D'**obèse**
à TRIATHLÈTE

D'obèse à triathlète

L'inspirant témoignage de Brigitte Marleau

© 2015 Les Éditions Caractère Inc.

Révision linguistique: Chantal Brousseau
Corrections d'épreuves: Maryse Froment-Lebeau
Conception graphique et infographie: Geneviève Laforest
Conception de la couverture: Atelier Lineski

Sources icon

Couverture et
Shutterstock.cc

5800, rue Saint-Denis, bureau 900
Montréal (Québec) H2S 3L5 Canada
Téléphone: 514 273-1066
Télécopieur: 514 276-0324 ou 1 800 814-0324
caractere@tc.tc

ISBN: 978-2-89742-097-0 (version papier)
ISBN: 978-2-89742-125-0 (version PDF)
ISBN: 978-2-89742-126-7 (version ePub)

Dépôt légal: 2e trimestre 2015
Bibliothèque et Archives nationales du Québec
Bibliothèque et Archives Canada

Imprimé au Canada

2   3   4   5   6   M   19   18   17   16   15

Nous reconnaissons l'aide financière du gouvernement du
Canada par l'entremise du Fonds du livre du Canada (FLC)
pour nos activités d'édition.
Gouvernement du Québec – Programme de crédit d'impôt
pour l'édition de livres – Gestion SODEC.

D'**obèse** à *TRIATHLÈTE*

L'inspirant témoignage de **Brigitte Marleau**

CAR ACT ERE

AVERTISSEMENT

PRÉCISION

Hyperphagie boulimique

Trouble de l'alimentation qui se définit par l'absorption d'une quantité disproportionnée de nourriture lors d'une seule occasion, accompagnée d'un sentiment de perte de contrôle chez l'individu. Lorsque les épisodes d'hyperphagie gagnent en fréquence et qu'ils sont associés à une souffrance significative, on parle de problème de santé mentale[1].

L'hyperphagie boulimique est reconnue par le *DSM-V Diagnostic and Statistical Manual of Mental Disorders* depuis 2013.

Brigitte Marleau en a souffert pendant plus de 20 ans.

---

1 Source : https://www.ordrepsy.qc.ca/pdf/Psy_Qc_Sept2012_Dossier_04_Senecal_Richardson.pdf

TABLE DES MATIÈRES

CHAPITRE 8
Mes objectifs de perte de poids et de remise en forme

CHAPITRE 9
Les obstacles que j'ai rencontrés et le soutien qu'on m'a donné

CHAPITRE 10
Les défis

Suivez-moi sur la page Facebook Pas d'excuses, où je vous présente des capsules vidéo d'exercices à faire à la maison.

CHAPITRE 11
Les cartes de motivation

INTRODUCTION

INTRODUCTION

J'ai écrit ce livre en toute humilité. J'ai couché sur papier ce que je croyais être intéressant à dévoiler sur ma perte de poids, mais je vous avoue qu'il y a des aspects de ma vie que j'ai gardés secrets, notamment par respect pour mes proches.

Je suis une femme ordinaire. Je ne prétends nullement être une spécialiste de la nutrition ni de la remise en forme. Ce que je partage avec vous dans ce livre est basé sur mon expérience personnelle. Mon plus grand souhait est que mon histoire soit une source d'inspiration et de motivation pour vous qui avez peut-être le désir de mincir aussi.

J'ai toujours fait partie de l'équipe du « poids yoyo ». Ma garde-robe comprenait des vêtements de grandeurs différentes. Des vêtements trop petits, bien sûr, que j'avais achetés pour me motiver à perdre du poids (peut-être vous reconnaissez-vous ?), jusqu'aux vêtements trop grands qui marquaient la taille que j'avais atteinte la dernière fois que j'ai perdu le contrôle…

La perte de contrôle. C'est toujours l'impression que j'avais quand je reprenais en un éclair les kilos perdus après avoir fait un régime qui m'avait affamée. J'avais la pensée magique : maintenant que j'avais de la place, je pourrais manger « normalement ». Or, dans mon cas, manger « normalement » me conduisait tout droit vers un surplus de poids, car « normalement », je mange trop… et trop mal. Je pense que c'est ce qui m'a pris le plus de temps à comprendre.

J'ai été obèse. Mon père, lui, souffrait d'obésité morbide. J'ai partagé sa souffrance. Après sa mort, une réflexion profonde s'est installée en moi : où est-ce que je m'en vais, comme ça, avec mon surplus de poids ? Quelle direction dois-je prendre ? Bien sûr, avec mon erre d'aller, je fonçais tout droit vers les problèmes. Je mangeais trop, je buvais trop : je savais que je grossissais même si j'avais depuis longtemps rompu ma relation avec mon pèse-personne.

De plus, j'ai commencé à avoir mal au dos : je n'arrivais même plus à changer de position, la nuit, dans mon lit. Jouer dehors avec les enfants ? Tu parles !

Ma prise de conscience s'est faite lentement et a comporté de nombreux faux départs avant que je prenne la bonne route qui me mènerait vers un changement de vie permanent. Mais j'ai atteint mes objectifs ! Fini les crises de nourriture, fini l'abus d'alcool, fini le mal de dos ! Toutefois, vous savez ce qui arrive aux gens qui obtiennent ce qu'ils veulent : ils ont peur qu'on leur enlève leur butin. Moi, j'ai commencé à avoir peur de rechuter, de perdre ma minceur, de perdre le contrôle et de revenir à la case départ. Comment allais-je faire pour garder mon poids santé, moi, qui ai toujours engraissé et maigri à répétition ?

J'ai donc eu l'idée de créer des cartes de motivation pour mon utilisation personnelle, pensant que cet outil pourrait aussi servir à d'autres personnes. Personnellement, ce que je trouve le plus difficile, c'est le maintien d'un poids santé. La perte de poids n'est qu'une étape dans tout le processus de changement que j'ai fait dans ma vie pour être bien dans ma peau. Plusieurs personnes souffrent d'avoir un surpoids, et je faisais partie de ce groupe. Chacun est différent, et c'est dans le respect de chacun que j'ai écrit ces lignes. Alors si les suggestions contenues dans ce livre vous interpellent, allez-y ! N'hésitez pas à les employer, car c'est pour vous que je les ai écrites.

Bonne lecture !

CHAPITRE 1
Souvenirs d'enfance

J'ai tenté de me rappeler quelques souvenirs d'enfance. Mais puis-je vraiment me fier à ma mémoire ? Mes souvenirs se transforment au fil du temps. Je pense avoir appris pourquoi il en est ainsi. Apparemment, nos souvenirs sont logés à différents endroits dans notre mémoire et quand nous voulons nous remémorer un évènement, nous devons reconstruire ce même souvenir. Un peu comme si nous devions retrouver toutes les pages d'un livre avant de pouvoir le relire. Il y a un sérieux risque qu'il soit incomplet, en fin de compte, ou encore que l'histoire soit désordonnée. Mais bon ! Puisque j'ai demandé l'aide de ma mère, je peux comparer mes souvenirs aux siens et ainsi voir ce qui se recoupe dans nos histoires.

Plaisirs sucrés

Je n'ai pas énormément de photos de moi durant ma petite enfance. Mon album comprend tout de même quelques clichés d'un beau gros bébé potelé qui sourit et qui a l'air heureux. J'ai plus de plis dans les cuisses que d'orteils au bout des pieds ! Ma mère m'a raconté que j'ai passé mon premier Noël à l'hôpital : je m'étouffais lorsqu'elle me donnait le biberon. À ce qu'il paraît, je ne savais pas boire. Mais lorsqu'on regarde des photos de moi, poupon, il est évident que je n'ai pas tardé à comprendre comment faire !

De bébé potelé, je me suis transformée en fillette dodue. Je n'étais pas grosse, mais rondelette. Je n'avais pas un problème de poids à proprement parler, mais j'avais de la cuisse. Comme le disait ma mère, « j'avais une bonne fourchette ». Je mangeais le spaghetti, le boudin de ma grand-mère et les biscuits avec appétit.

D'aussi loin que je me souvienne, j'ai toujours aimé manger. Mes deux parents ont déjà travaillé dans une boulangerie et dans une pâtisserie, alors le sucre, je suis tombée dedans quand j'étais petite.

Mon père cuisinait souvent des desserts : ensemble, avec de la pâte brisée, on confectionnait des pets-de-sœur et de délicieux trottoirs à la confiture. Cuisiner avec son père n'était pas commun à l'époque. J'ai aussi appris très tôt à faire du crémage au beurre pour glacer les gâteaux. Et puis, comme j'aimais ça, le jour de ma fête, on m'a offert le cadeau parfait pour la petite pâtissière que j'étais : un four pour enfant, qui venait avec des sachets de préparation à gâteaux, des moules et des ustensiles miniatures. J'adorais cuisiner des desserts. C'est d'ailleurs la seule chose que j'aime vraiment cuisiner encore aujourd'hui.

Les étés de mon enfance sont riches en souvenirs gourmands. Nous habitions à cette époque à Saint-Hubert, sur la rive sud de Montréal, et nous cultivions des légumes dans notre potager. J'adorais y cueillir des tomates chaudes mûries au soleil, et j'ai encore sur la langue le goût des carottes que j'essuyais avec mes petites mains et sur lesquelles il restait toujours un peu de terre.

L'été, c'est aussi la saison de la crème glacée. Un camion laitier passait dans notre rue : il paraît que lorsque j'entendais sa musique au loin, je demandais systématiquement à ma mère de sortir pour m'acheter une gâterie. Et quand la crème glacée ne venait pas à moi, c'est moi qui allais à elle. Ainsi, plusieurs fois par semaine, je marchais jusqu'au dépanneur du coin, mes sous dans les poches, pour m'acheter un cornet. La crème glacée, je l'aimais servie de toutes les façons. Je me souviens encore des soirées où je regardais la télévision avec mon père : on se préparait des flotteurs, c'est-à-dire de la crème glacée sur laquelle on versait du soda mousse. Ensuite, il suffisait de mélanger le tout jusqu'à l'obtention d'un mélange crémeux, que l'on dégustait à la petite cuillère. La nourriture a toujours été une source de bonheur pour moi.

De la pizza en pyjama

Toutefois, mes plus beaux souvenirs d'enfance ne sont pas sucrés, mais salés.

Il arrivait souvent que ma mère nous réveille en fin de soirée, ma sœur et moi, pour qu'on savoure la pizza ou les hamburgers que mon père venait de faire livrer à la maison. C'est comme se faire réveiller parce que le père Noël est passé : excitation, joie, complicité, bonheur !

Même si, aujourd'hui, il semble aberrant de tirer des enfants de leur sommeil pour leur offrir des hamburgers, chez nous, dans ce temps-là, ce n'était rien d'autre qu'un geste de partage, un geste d'amour. Certaines personnes voudraient trouver un coupable à mon problème de poids et le pointer du doigt, mais je sais que les troubles alimentaires dont j'ai souffert n'ont pas une cause unique, et que porter des accusations ne mènera à rien. Mes parents ont fait de leur mieux pour me rendre heureuse, et je les en remercie. De mon côté, je fais aussi de mon mieux avec mes propres enfants.

Fanfaronne !

J'aimais beaucoup manger, mais j'aimais aussi bouger. Lorsque j'étais très jeune, je participais à toutes sortes d'activités. J'ai ainsi suivi des cours de natation, de claquettes et de majorette. Mes parents avaient même aménagé une patinoire sur le côté de la maison pour que je puisse patiner quand bon me semble. Je n'étais pas une enfant hyperactive, mais avec le temps, je me suis rendu compte que j'ai toujours été active et impulsive.

De plus, j'ai toujours aimé être le centre d'intérêt. Même si je m'accommodais bien de mon petit monde de poupées et de peluches, je sortais volontiers de ma bulle dès que j'avais des spectateurs potentiels. J'avais une très haute opinion de moi-même : je fanfaronnais et je me dandinais pour attirer l'attention, et il m'aura fallu du temps pour apprendre à ne pas commencer toutes mes phrases par « moi » et à converser au lieu de monologuer pour faire rire les autres. C'est sûrement grâce à ce fond d'estime de moi, qui remonte à mon enfance, que j'ai pu finalement dire « je m'aime et je veux me faire du bien ! », une fois adulte. Une petite phrase pleine de force qui a influé sur ma persévérance et sur ma motivation à atteindre mes objectifs. Croire en soi et en ses capacités est un atout considérable.

Bouleversements

Ma petite sœur est venue au monde cinq ans après moi. Après toutes ces années à être un enfant unique qui attire les regards, j'ai eu, paraît-il, quelques difficultés à accepter ce nouveau bébé, qui est devenu une fille mince et élancée. Nous avons commencé à nouer de bons liens à l'âge adulte seulement.

Mes parents se sont séparés quand nous avions respectivement neuf et quatre ans. J'ai trouvé cette période très éprouvante, au point de souffrir d'ulcères d'estomac pour lesquels je devais prendre des médicaments. Ma mère a été très patiente avec moi : chaque nuit, elle se levait et me servait une tasse d'eau chaude. Elle attendait que ma douleur s'estompe avant de me border et de se remettre au lit. Aujourd'hui, je sais que je souffrais d'anxiété.

Ma mère tentait de refaire sa vie amoureuse, mais je n'étais pas très chaleureuse avec les hommes qu'elle rencontrait. Il n'y a pas d'autres mots pour le dire : j'étais une peste. Je faisais en sorte que ses amoureux ne restent jamais très longtemps. Je les ridiculisais ou leur disais qu'ils étaient les vingtièmes d'une longue liste d'amants. Malgré mes tempêtes, un homme est resté ; et il a épousé ma mère. Même s'il s'était attiré mes foudres, comme tous les autres, il avait assez de caractère pour tenir bon. Il s'est rapidement révélé drôle et impliqué. Et même si je ne l'ai jamais considéré comme mon père, j'ai tout de même appris à l'aimer. Malheureusement, il est décédé trop jeune d'un infarctus. Ça a été une perte vraiment douloureuse pour toute la famille, que j'ai personnellement vécue comme un second abandon.

À cette époque, on était carrément pauvre : l'appartement que nous louions ne comportait qu'une chambre qu'on se partageait, ma sœur et moi. Ma mère, elle, dormait dans le salon. Il faisait si froid l'hiver dans ce logement ! Je me souviens de certains matins où l'on était assises sur des chaises droites installées devant la porte ouverte du four, que ma mère faisait chauffer pour nous donner un peu de chaleur durant le déjeuner.

Bien sûr, comme la majorité des enfants, je me plaignais qu'il n'y avait « jamais rien à manger dans le frigidaire ». On ne manquait pas de nourriture pour les repas, mais je soupçonne ma mère de ne pas avoir toujours mangé à sa faim pour en mettre davantage dans nos assiettes. En fait, mes souvenirs me disent que je ne mangeais pas beaucoup durant cette période, mais la vérité est que je ne mangeais simplement pas beaucoup *de gâteries et de desserts*. Faute d'argent, il n'y en avait jamais assez à mon goût. Moi qui avais été habituée à la crème glacée sur demande, je restais alors toujours sur ma faim.

Pourtant, je ne vivais pas la pauvreté comme quelque chose de marginal. Nous habitions à Verdun, un quartier ouvrier de Montréal ; les voisins étaient dans la même situation que nous. C'était notre réalité et je n'étais pas consciente qu'il existait des gens mieux nantis. Je vivais si bien dans mon monde imaginaire composé de si belles histoires que j'avais l'impression de vivre une belle vie. Je transformais ma réalité au gré de mes fantaisies. Dans mes rêves éveillés, je faisais des rencontres avec des acteurs et des chanteurs avec lesquels je sortais et partageais mes joies et mes peines.

J'adorais aussi dessiner. Ma mère et ma grand-mère me laissaient même peindre de véritables murales sur les portes et les cloisons des chambres. En 1979, alors que j'étais en cinquième année à l'école Notre-Dame-de-la-Paix, madame Gertrude avait animé un atelier sur la bande dessinée qui m'a beaucoup plu : à la fin du cours, nos dessins ont été reliés dans un album que je possède encore. D'ailleurs, je l'apporte dans les écoles quand j'y présente mes livres.

J'étais bonne en classe, j'avais de bonnes notes. Je ne faisais partie d'aucune gang et je parlais à tout le monde. Dans la cour d'école, par contre, j'avais trouvé ma place : j'étais la fille qui prenait la défense des opprimés. Je voulais sauver le monde. Il n'était pas question que je laisse qui que ce soit faire du mal à une personne plus faible. Je m'interposais toujours entre l'agresseur et l'agressé, et je n'avais pas peur de dire que c'était à moi que l'on aurait affaire si on levait le poing. Ça m'a bien sûr valu quelques visites chez le directeur ! Mais j'ai été élevée dans les ruelles de Verdun, très loin de la ouate. Ma mère m'a appris que si on m'attaquait, il fallait que je me défende : pas question de me faire écraser. Je connaissais très bien le langage des poings ; et pour ajouter du poids à mon sentiment de sécurité, j'ai suivi plus tard des cours d'autodéfense.

Toutoune et moche

C'est autour de quatorze ans que j'ai commencé à prendre du poids. Outre la transformation normale de mon corps de jeune fille, c'est-à-dire le développement de mes hanches et de mes seins, je me suis mise à engraisser. Il faut dire que lorsqu'on mange quatre rôties chaque matin et des galettes au beurre pour la collation, il y a forcément des conséquences.

Comme beaucoup d'adolescentes, je ne me trouvais pas belle.

Pourtant, aujourd'hui, quand je regarde mes photos de jeunesse, je me trouve plutôt de mon goût. Dommage qu'on ne puisse réécrire le passé, car je m'éviterais bien des tourments !

Un cercle vicieux s'est alors installé : plus je mangeais mal, plus j'engraissais ; plus j'engraissais, plus je me trouvais moche ; plus je me trouvais moche, plus je mangeais avec compulsion.

Je me suis alors enfermée davantage dans mon monde imaginaire... celui dans lequel j'avais un corps de rêve et où les garçons me courtisaient. J'imaginais quelle tête ils feraient si, le lendemain, j'arrivais à l'école avec 40 livres en moins. « Vous pensiez que j'étais grosse ? Erreur ! Ce n'était qu'une illusion ! Je me cachais simplement sous des vêtements trop grands afin de voir votre réaction. Et vos regards de mépris, je les ai sentis. Vous êtes surpris ! » Oui, je ressentais du plaisir à jouer le rôle de ma vie dans un rêve. J'étais Cendrillon. Mais tout ça n'était que le fruit de mon imagination, car jamais, le lendemain, je n'ai affiché 40 livres en moins.

L'adolescence, c'est l'obsession de vouloir plaire ; ça devient tragique quand on pense qu'on n'a pas d'atouts pour séduire. Au secondaire, je n'ai jamais avoué mon amour à un garçon. Je préférais m'enfermer dans un rêve où nous vivions une relation plutôt que d'oser franchir le pas et vivre un rejet. Pourtant, j'avais une grande facilité à entrer en relation d'amitié avec les garçons, mais dès que l'un d'entre eux me plaisait, j'étais paralysée par la crainte d'être moquée, rejetée. Oh oui, j'avais une belle personnalité et de l'entrain. Mais les adolescents, ça ne se laisse pas facilement séduire par une belle personnalité ; par une belle personne, oui. Je ne me plaisais pas à moi-même, alors comment penser qu'un garçon puisse me trouver attrayante ?

Je me suis alors mise au régime, espérant afficher les mêmes standards de minceur que ceux des mannequins présentés dans les magazines. Autour de moi, tout me renvoyait l'image que j'étais trop grosse. Je n'entrais pas dans les standards.

Je me sentais hors de la norme... mais je voulais en faire partie, moi, de cette norme.

Je ne pouvais pas (ou je n'arrivais pas) à me trouver belle lorsque je me comparais à ces modèles de beauté. C'était si loin de ma réalité.

Ma mère et moi avons donc fait de nombreux régimes, dont la fameuse cure de raisins. Nous comptions le nombre de raisins permis pour la journée et nous ne mangions que ça pendant plusieurs jours. Ça m'apparaissait insensé (et ça l'était !), mais je m'y conformais : j'aurais tout fait pour perdre du poids.

Je pense que compter sur un régime de privation pour perdre du poids est un manque de connaissance du corps humain et de son fonctionnement. Et quand je regarde autour de moi, je constate qu'il y a encore beaucoup de sensibilisation à faire. Comment croire que tel aliment brûlera les graisses du ventre quand on sait comment le corps fonctionne ? Quand on maigrit, on ne décide pas quelle partie de notre corps s'amincira en premier.

Faire un régime, c'est vouloir perdre du poids rapidement. Mais le poids que je perdais, je le reprenais toujours… avec un surplus. N'empêche, ma mère et moi retenions du régime qu'il avait réussi à nous faire maigrir en peu de temps ; c'était donc positif. Perdre 5 livres en une semaine, quelle réussite ! Mais ça, c'était à condition de trouver la volonté de la respecter, la fameuse diète. Car j'ai connu plusieurs faux départs : je m'empiffrais la veille du début d'un régime, pour toujours finir par repousser le jour J au lendemain. L'idée de la privation m'angoissait terriblement. La nourriture me réconfortait : c'était mon soutien, ma bouée psychologique. L'idée de la mettre de côté suscitait en moi la peur de couler, de me noyer.

J'ai terminé mon secondaire grosse et boutonneuse.

Je n'ai même pas voulu que ma mère achète mes photos de finissante tellement je me trouvais moche.

Cachée sous des vêtements d'homme

Au régime ou pas, depuis le début de mon adolescence, je me cachais sous des vêtements d'homme que j'empruntais à mon beau-père. Les chandails amples des Expos étaient confortables, mais pour la féminité, on repassera !

Si je m'habillais d'une manière masculine, ce n'était pas uniquement pour camoufler mon surplus de poids ; c'était aussi pour paraître moins vulnérable. Mon passage à l'adolescence m'avait gratifiée d'une grosse poitrine. J'ai rapidement pris conscience que ça me mettait en danger : il est arrivé que des crétins se masturbent devant moi dans le métro, ou qu'un autre désaxé me suive sur la rue Sainte-Catherine jusqu'à ce que je me retourne, le cœur battant, pour lui demander quel était son problème. Alors les jupes et les petits talons, pas question ! Un bon chandail trop grand, des jeans, des bas de laine et des bottes constituaient la tenue la plus sécuritaire pour moi. Je déambulais ainsi, cachée sous ma carapace, me sentant à l'abri des regards insistants, même si j'avais assez d'aplomb pour mettre en échec ces abrutis d'agresseurs.

> **Cette volonté de ne jamais me considérer comme une victime m'a beaucoup aidée dans ma perte de poids. De cette manière, je me donnais du pouvoir sur la situation.**

Je me suis donc permis de voyager sur le pouce. Bien sûr, ma mère m'avait prévenue que ça pouvait être dangereux. Mais pour une étudiante qui avait la bougeotte comme moi, c'était un moyen peu dispendieux de voyager. Je me suis effectivement retrouvée dans des situations dangereuses — deux hommes avec qui « j'étais montée » m'ont dit qu'ils avaient l'intention de me violer —, mais mon sens de la répartie et mon sang-froid m'ont tirée d'affaire.

Malgré ces quelques expériences désagréables et troublantes, j'ai fait plusieurs rencontres charmantes. J'ai connu des gens chaleureux et sincères exerçant mille et un métiers avec lesquels j'ai eu des discussions enrichissantes sur la vie. Des années plus tard, lorsque j'ai enfin eu mon propre véhicule, je me suis donné le devoir de redonner au suivant et de faire faire un bout de chemin aux « pouceux » rencontrés sur ma route.

Devenir sauveteuse

Mon adolescence n'a pas uniquement été ponctuée de drames, heureusement. Être sauveteuse m'a apporté beaucoup de bien-être. Tout a commencé par un défi. C'est l'histoire de ma vie !

Durant plusieurs années, ma mère, ma sœur et moi allions chaque été au camp Marie-Paule, un centre de plein air situé à Sainte-Véronique, près de Mont-Laurier. Pour moi, c'était le paradis. Nous étions réparties en fonction de notre groupe d'âge et nous faisions des activités en équipe, comme du canot, de l'hébertisme, de la randonnée, du camping, du tir à l'arc. Quand on est originaire de Verdun, c'est un dépaysement total !

À 14 ans, j'ai décidé de participer au programme permettant de devenir aide-animatrice. Je suis donc devenue INEX, comme on nous appelait. J'ai vécu de si beaux moments que j'ai voulu redonner à mon tour la chance à d'autres familles de vivre des moments magiques.

À 15 ans, j'ai obtenu le poste d'animatrice volante. J'étais entre deux régimes ; je devais peser près de 150 livres et j'avais l'impression d'être énorme (même si je réalise aujourd'hui que je m'étais jugée bien sévèrement). À titre d'animatrice, je bougeais beaucoup ; mille et une activités étaient prévues au programme. Un jour, la fanfaronne en moi est remontée à la surface : durant une discussion avec le directeur du camp, j'ai prétendu être capable de traverser le lac Tibériade à la nage, sans difficulté.

Ça, c'était moi tout craché : affirmer une chose dont je n'étais pas du tout certaine.

Il m'a répondu que si je réussissais à le traverser sans m'arrêter, il paierait mes cours de sauvetage et il m'offrirait le poste de surveillante de plage l'année suivante. Le lac Tibériade a une largeur d'environ trois kilomètres, et j'étais très motivée à le traverser. Après quelques heures à nager dans l'eau froide, une chaloupe à mes côtés, j'ai atteint mon objectif.

J'ai remporté le pari.

Je me suis donc inscrite aux cours de sauvetage. Naturellement, je m'étais mise au régime : pas question de suivre cette formation en étant toutounette ! La séance de magasinage du maillot a été une vraie torture. Dans les boutiques de maillots, même celles qui arborent un corps parfait se plaignent de leurs défauts. Dans la boutique où je suis allée, j'ai constaté, au moment d'enfiler le maillot, qu'il n'y avait pas de miroir à l'intérieur de la cabine d'essayage. Pas question que je sorte de là…

— Ça va, là-dedans ? a demandé la vendeuse.

— Oui… oui…

Oui, je mens ; non, ça ne va pas ! Je n'arrive pas à monter le maillot plus haut que mes cuisses…

— Je peux avoir une taille plus grande ?

— Désolée, a répondu la vendeuse, on ne tient pas de taille plus grande. Vous devriez aller dans un magasin spécialisé… pour les… euh… les rondes.

Silence.

— Les tailles fortes, je veux dire !

J'avais compris.

— Non, c'est bon, je vais le prendre, ai-je répondu. Je l'ai seulement mal essayé, il est à peine un peu serré.

Tu parles ! J'ai acheté un maillot de bain trop petit, que je ne pouvais même pas enfiler plus haut que mes cuisses, puis j'ai fait un arrêt à la pharmacie pour m'acheter des barres amaigrissantes. Fin des achats, début de l'histoire ! Je me suis affamée, et j'ai réussi à perdre quelques livres… mais pas assez pour porter le maillot de la mort. Je suis donc retournée m'acheter un maillot de bain, mais cette fois dans un magasin à grande surface où il n'y avait personne qui me harcelait à la porte de ma cabine.

Avec l'âge, je me suis rendu compte que, même si je pèse le même poids, ma perception de mon corps change en fonction du fait que je suis en prise ou en perte de poids.

Donc, comme j'avais perdu 5 livres, j'aimais davantage ce que je voyais, ce qui a facilité le choix du maillot de bain.

La natation m'a aidée à garder un poids relativement stable. De plus, je cherchais à plaire à mon entraîneur, ce qui me motivait d'autant plus à bien manger. J'ai réussi mes cours et mes examens avec succès. Il me restait à suivre mon cours de sauveteuse de plage, une formation qui se tenait dans une auberge située dans les Laurentides, près d'un lac. Au mois de mai, l'eau était à 56 °C : nager là-dedans, c'était risquer l'hypothermie. Ce jour-là, plusieurs futurs sauveteurs n'ont pas réussi les épreuves dans l'eau glaciale. Moi, si. Je suis certaine que c'est ma petite couche de graisse qui m'a permis de performer, m'isolant de la morsure du froid. Aujourd'hui, n'ayant plus cette « protection », je dois me vêtir de plusieurs couches de vêtements en hiver pour ne pas grelotter…

Estivados

À l'adolescence, je fréquentais aussi un groupe qui s'appelait Estivados. Notre local se situait à Saint-Henri. Nous nous rencontrions pour faire toutes sortes d'activités : de l'impro, du ballet jazz et du hockey cosom. Des conférenciers venaient également nous parler de sujets comme la sexualité et la pauvreté. Nous étions sensibilisés à différentes causes sociales. Je me suis particulièrement liée d'amitié avec Claude, alias Hibou, l'un des animateurs (nous sommes encore amis aujourd'hui). Sa présence dans ma vie d'adolescente comblait en partie mon manque de figure masculine, car, à cette époque, ma mère s'était séparée de son second mari et mon père manquait toujours à l'appel. J'avais besoin d'attention, besoin d'être admirée. J'ai connu Claude au camp Marie-Paule ; il était spécialiste des sciences de la nature. C'était un amoureux et un passionné de la nature comme je n'en avais jamais connu. Tout ce que je sais sur la faune et la flore, c'est lui qui me l'a enseigné avec passion. Quand j'allais au local et qu'il y était, je m'isolais volontairement pour qu'il vienne me demander ce qui n'allait pas. Il a été l'un des premiers avec qui j'ai parlé de mes problèmes de compulsions alimentaires et je n'ai jamais senti qu'il me jugeait. J'appréciais sa grande écoute et ses questionnements, qui m'aidaient à cheminer. On n'a jamais parlé de banalités comme la météo : les sujets qu'on abordait étaient toujours profonds et pertinents.

La plupart des adolescents qui formaient l'équipe d'Estivados sont encore présents dans ma vie. Nous nous voyons deux ou trois fois par année et nous avons toujours autant de plaisir à nous côtoyer. Bien sûr, nous sommes tous différents, mais nous venons d'un milieu commun qui nous unit et, même si nous ne nous voyons que quelques fois chaque année, nous savons que nous pouvons compter les uns sur les autres en cas de besoin. Nous nous influençons à tour de rôle. Nous parlons de santé. Nous nous questionnons sur différentes questions existentielles. Chacun leur tour, mes amis ont cessé de fumer, puis ont recommencé, pour cesser de nouveau. C'est la même histoire en ce qui a trait à la consommation d'alcool et à la perte de poids : on a parfois l'impression d'être dans des montagnes russes. Certains deviennent des modèles et encouragent les autres. C'est un mouvement perpétuel. Je les aime beaucoup et ils sont très importants dans ma vie. Ils sont exactement comme moi : ils sont tous « très fous à la tête », comme dit ma belle-sœur américaine, Kathy. Et si nous sommes si proches, c'est probablement parce que personne ne se prend au sérieux. Et si l'un de nous chute, les autres lui tendent simplement la main.

Brigitte en liberté

À 17 ans, je désirais avoir mon autonomie depuis longtemps. Donc, lorsque l'occasion de partager un appartement avec des amis s'est présentée, j'ai sauté dessus. C'était en 1985 ; à l'époque, partir de la maison à cet âge n'était pas rare. Je vivais des conflits avec ma mère, m'opposant catégoriquement à tout ce qu'elle pensait. Je voulais donc découvrir qui j'étais plutôt que de voir en moi une copie de ce qu'elle était. Rejeter son modèle et partir vivre ma propre vie me semblait la solution la plus sensée. J'ai trouvé un emploi de caissière chez Distribution aux consommateurs, à la succursale de la rue Saint-Hubert, à Montréal.

J'ai célébré mon émancipation en grand, dans une débauche de calories. Le complexe Alexis-Nihon, un centre commercial de l'ouest de Montréal, logeait une chocolaterie qui vendait ses produits en vrac. Je ne m'y étais jamais arrêtée avant, bien que j'aie souvent lorgné ses comptoirs alléchants.

Le jour de mon déménagement, j'y ai acheté un sac de 2 livres de morceaux de Kit Kat, que j'ai mangé en entier, en me promenant dans les rues de Montréal.

C'était la fête dans ma tête ! Enfin ! Plus personne ne pouvait réprimer mes envies démesurées de manger ! Ma mère n'était pas contrôlante : elle faisait son travail de mère depuis toujours en me permettant de manger une barre de chocolat, mais en m'expliquant de façon raisonnable que c'était impossible d'en avoir deux, donc que ça irait à la prochaine fois. Or, j'avais toujours rêvé de manger du chocolat jusqu'à satiété. Eh bien, je le réalisais enfin, mon rêve ! Et c'était bon !

Sans en prendre conscience, je vivais mon premier épisode d'hyperphagie. Il m'était bien sûr déjà arrivé de manger plus que nécessaire, surtout en période de chagrin ; j'avais déjà vécu des épisodes de gourmandise, mais là, c'était différent. Je mangeais à m'en défoncer l'estomac de façon tout à fait gratuite, sans que la raison ne m'arrête.

Évidemment, l'indigestion a succédé au bonheur. La tête dans une cuvette de toilette, vomissant mon plaisir et mon autonomie, je me suis promis de ne plus faire d'excès sur le chocolat. Et j'ai tenu parole : je n'ai plus jamais englouti de chocolat avec compulsion. En fait, il m'a fallu plus de deux ans avant de remanger du chocolat, et une dizaine d'années avant de manger à nouveau des Kit Kat…

Ce travail de caissière m'a aussi permis d'économiser de l'argent pour partir en voyage. Destination : l'Amérique centrale, un voyage planifié par l'organisme Salut, le monde ! (aujourd'hui Mer et Monde), patronné par le jésuite Michel Corbeil. Ce voyage, ouvert aux jeunes de tous les coins du monde, permettait à ses participants de vivre au sein des populations locales pendant quelques mois.

Les habitants des villes et des villages que nous traversions m'appelaient la *gordita*. Je trouvais ça charmant, jusqu'à ce qu'on m'explique que ça signifiait « la petite grosse ».

Charmant, en effet.

Par contre, il ne s'agissait pas d'une critique, comme je l'avais d'abord perçu. Car dans ces petites villes et villages reculés d'Amérique centrale, les gens sont heureux de rencontrer des personnes grasses. Pour eux, il s'agit d'un signe d'abondance, et il y a réjouissance. Les gens vivant dans les grandes cités américanisées n'avaient cependant pas cette même perception, car leurs standards de la mode étaient plus près de notre réalité nord-américaine. Or, ce n'est pas parce que c'est valorisant d'être un symbole d'abondance en terre étrangère que ça me faisait plaisir pour autant d'être appelée la petite grosse. Bien que je fusse peinée (en raison de nombreuses années d'endoctrinement et de valorisation de la minceur !), j'affichais quand même un sourire. Je n'avais pas le goût de parler de mes problèmes d'estime personnelle avec des gens que je ne connaissais pas.

Malgré cela, j'ai vécu des moments magiques au cours de ces voyages. Avant de quitter le Québec, j'avais suivi, en compagnie de deux autres jeunes et de notre accompagnateur, une petite formation sur les coutumes et les mœurs du pays ainsi que quelques cours d'espagnol. On m'avait aussi fourni quelques adresses où je pourrais aller demander l'hospitalité. C'est durant ce voyage de quatre mois que j'ai connu la vraie signification du mot partage.

J'ai commencé mon voyage par Mexico : j'habitais chez des familles de Nezahualcóyotl, l'un des plus grands bidonvilles de la région. J'ai habité au bout d'une rue bordée par ce qu'on appelait les « eaux noires ». C'était l'accumulation de déchets bruts en décomposition qui flottaient sur un mélange de matières molles. Celui qui tombait malencontreusement dans ce « magma » ne pouvait en ressortir, pris au piège par ces matières visqueuses dans lesquelles il était impossible de se mouvoir. Les jours de grande chaleur, l'odeur de putréfaction me faisait vomir. Pourtant, des gens habitaient sur un petit îlot situé au beau milieu de cette mer de déchets et traversée par un chemin de fer. Pour s'y rendre, on devait marcher sur les rails en priant pour qu'aucun train n'arrive. J'y suis allée pour la célébration d'un mariage ; les mariés pleuraient de joie de nous voir nous déplacer dans cet endroit.

La famille comptait neuf enfants, et on ne manquait pas de nourriture. La maison était modeste, mais sa petite cour intérieure était très sympathique. Il y avait aussi deux chiens. Je me souviens de celle qui s'appelait Angela, un genre de colley. Au début, elle tentait toujours de me mordre quand j'étais dans la maison. J'ai fini par l'amadouer et en faire l'une de mes plus fidèles compagnes pour me déplacer en ville. Quand j'y suis retournée, trois mois plus tard, elle se souvenait encore de moi. Durant mon séjour de deux semaines parmi les membres de cette famille, j'ai eu l'occasion de les accompagner au marché. Ils possédaient un kiosque de vêtements où ils passaient la journée à se relayer. J'ai eu beaucoup de plaisir à vivre avec ces gens généreux. J'ai aussi goûté à plusieurs mets différents. À la suite de mon retour au Québec, ça m'a pris environ six mois pour apprécier la coriandre de nouveau : les Mexicains en mettaient dans presque tous les plats ! Désormais, c'est moi qui en mets dans toutes mes recettes.

Je ne me rappelle pas avoir souffert de la faim ni avoir été malade à Mexico. En fait, pour mon estomac et moi, tout se passait plutôt bien. Je ne maigrissais pas, mais je n'engraissais pas. C'était tout ce que j'avais voulu. L'explication est simple : comme je n'étais pas chez moi, je ne me servais pas dans la cuisine. Je mangeais lors des repas et j'acceptais les collations qu'on m'offrait, sans plus. Je mangeais d'une manière équilibrée. Il ne s'agissait pas d'un voyage où l'on va au restaurant tous les jours.

La destination suivante était Paso Hondo, un petit village situé à la frontière du Mexique et du Guatemala. Une communauté religieuse, qui travaillait avec les réfugiés guatémaltèques hébergés en terre mexicaine, m'a accueillie ; ces missionnaires ont ensuite accepté de me conduire vers des camps de réfugiés où j'ai vécu deux semaines. Si je pensais avoir connu la pauvreté à Mexico, ce n'était rien comparativement aux conditions dans lesquelles ces gens devaient se débrouiller. Ils vivaient dans des maisons fabriquées de pieux, et des cartons faisaient office de toits. On dormait sur des lits confectionnés au moyen de branches ou directement sur le sol. La nourriture provenait de l'aide internationale. Et ils devaient marcher plus d'une heure pour aller remplir leurs cruches d'eau, que les femmes portaient sur leur tête.

Même si ces gens m'appelaient eux aussi la *gordita*, je « fondais » à vue d'œil. La nourriture était infecte et certaines familles ne faisaient pas bouillir l'eau. J'ai souffert de la diarrhée, et ce, plusieurs fois. Naturellement, puisqu'il n'y avait pas de toilettes, on s'éloignait des maisons et on faisait nos besoins où l'on pouvait. J'ai pensé mourir de la tourista. À la clinique, on prenait soin de moi dans la mesure du possible, mais les conditions de vie étaient épouvantables.

Je m'étais engagée à aller chercher de l'eau potable pour un couple assez âgé vivant dans ce camp ; le chemin pour me rendre à la source d'eau était difficile et impliquait notamment que je traverse une clôture barbelée, une cruche d'eau sur la tête et, idéalement, une autre dans les mains. J'avais été initiée au port de la cruche quelques jours auparavant : j'étais capable de la transporter, mais j'avais l'impression que mon cou s'enfonçait entre mes épaules. Ainsi, chaque matin, même si j'étais malade comme un chien, j'allais chercher le précieux liquide. Au bout d'une semaine, la dame que j'aidais m'a offert un œuf en guise de remerciement. Sa poule pondait environ un œuf tous les cinq jours et c'est à moi qu'elle l'avait donné ! J'étais estomaquée devant ce geste de partage. Puisque je n'avais pas accès à un feu pour faire cuire l'œuf, je l'ai gobé tout cru.

Un jour, des gens m'ont annoncé qu'une vache venait de tomber dans un trou de boue duquel elle était incapable de sortir. Malgré leurs efforts soutenus, des hommes munis de lassos avaient dû se résigner à la laisser dans sa mauvaise posture jusqu'à ce que mort s'ensuive. J'étais outrée. Je ne voulais pas qu'on laisse un animal souffrir. J'ai alors demandé à un groupe de femmes de m'accompagner, bien déterminée à aller sauver la bête. J'ai enlevé ma jupe et je suis descendue dans la boue, à côté de la vache. J'étais en bobettes dans la bouette ! En m'aidant avec des bouts de bois et des branches, le groupe de femmes et moi avons réussi à sortir la vache de son trou, nous faisant attaquer au passage par une armée de fourmis rouges voraces. Malheureusement, la vache, qui était restée immobile trop longtemps, n'a pas pu se relever ; son propriétaire a donc dû l'abattre. Plus tôt dans la journée, j'avais fait promettre à son propriétaire que si la vache n'en réchappait pas, sa viande serait donnée aux gens qui avaient tenté de lui sauver la vie. Ce soir-là, ç'a été la fête ! Alors que je m'attendais à ma part de steak grillé, j'ai plutôt eu droit au plat d'honneur...

De la cervelle.

Bon. Depuis mon arrivée au Mexique, je n'avais pas rechigné à manger toutes sortes de mets, incluant de l'opossum. Mais là, c'en était trop. Avec le sourire (toujours), j'ai fait comprendre à mes hôtes qu'ils méritaient les morceaux de choix, et mon estomac révulsé et moi sommes allés nous coucher. Oui, j'ai beaucoup maigri au Mexique !

Si je partage avec vous cette partie de mon voyage, c'est pour vous dire que j'ai toujours été animée par une grande détermination. Et, même si certaines personnes disent qu'avoir une tête de cochon est un défaut, la détermination est aussi une qualité essentielle.

Le voyage s'est poursuivi au Guatemala, puis au Salvador. Et là, j'ai vraiment souffert de la faim. Tellement qu'il m'était impossible de m'endormir le soir, mon estomac étant en train de « s'autodigérer ». À ce moment-là, je vivais sur une montagne. Mon travail consistait à monter des poches de sable au sommet de celle-ci pour y construire un réservoir d'eau de pluie. J'arrivais à peine à tenir une poche de sable sur ma tête, alors que certaines femmes en empilaient deux sur leur crâne, tout en portant leur bébé sur leur dos. Alors, pas question de me plaindre ! Le midi, on mangeait un œuf à la coque et quelques tortillas. Le soir, on mangeait des fèves et quelques tortillas. Pour une fille comme moi qui avait l'habitude de faire des excès dans la nourriture sucrée, c'était un choc. Le poids que je n'avais pas encore perdu a donc disparu rapidement.

Quand je suis revenue au Québec, j'ai pris conscience de plusieurs choses. D'abord, quand je vivais avec ma mère, je lui demandais d'aller me chercher de l'eau alors que j'étais assise devant la télévision, trop paresseuse pour me lever. Qu'allais-je faire, maintenant ? Je n'allais tout de même pas aller puiser mon eau dans les rapides de Lachine… même si ça m'aurait donné bonne conscience ! J'étais révoltée par notre façon de vivre. Au Québec, on ne prend pas conscience qu'on est choyés de bénéficier d'installations sanitaires, de pouvoir manger à notre faim. Grâce à ces voyages (qui remontent maintenant à plus de vingt-sept ans), je remercie la vie chaque jour pour tout le confort dans lequel je vis et j'essaie d'aider les autres à améliorer leur vie du mieux que je le peux. Ces voyages m'ont ouvert les yeux et ont fait de moi la personne que je suis aujourd'hui.

Me nourrir moi-même

Après mon premier voyage, en 1986, alors que je venais tout juste d'avoir 18 ans, je suis retournée vivre en appartement avec mes six colocataires. J'étais la plus jeune du groupe, et la moins expérimentée en ce qui concerne la vie en appartement : on a vraiment pris soin de moi. Chaque colocataire devait cuisiner le repas du soir à tour de rôle. Je me souviens encore de la première fois où ç'a été mon tour : je n'avais jamais cuisiné de ma vie. Lorsque j'habitais encore le domicile familial, c'était toujours ma mère qui cuisinait, et je n'éprouvais pas le désir d'apprendre à le faire seule. En revanche, je suis certaine que si je lui avais demandé comment m'y prendre pour faire un pâté chinois ou un macaroni à la viande, elle me l'aurait enseigné avec plaisir. De plus, elle préparait tout elle-même : du steak, avec des patates et des légumes en conserve ; des cigares au chou ; du ragoût de boulettes ; des côtelettes de porc ; du filet de sole une fois par semaine. Elle faisait et fait toujours de la très bonne soupe. J'ai donc décidé de faire une soupe : j'ai rempli un immense chaudron d'eau, j'y ai ajouté des épices sélectionnées au hasard et j'y ai versé une conserve de jus de tomate.

C'était infect.

On a bien ri de mes déboires aux fourneaux, et je garde d'ailleurs de très bons souvenirs de cette époque. On commandait nos produits en vrac, n'ayant aucune idée des quantités qu'il nous fallait. On a donc acheté 1 livre de feuilles de menthe, assez pour boire de la tisane trois fois par jour pendant cinq ans ! Néanmoins, comme mes colocs avaient le souci de bien s'alimenter, j'ai acquis beaucoup de connaissances en alimentation en les côtoyant.

Par la suite, j'ai décidé de devenir végétarienne : je ne supportais pas l'idée que l'on doive tuer des animaux pour se nourrir. Je l'ai été pendant dix ans, mais pas dix années consécutives. Entre deux périodes sans viande, je mangeais un peu de tout. Ces multiples changements de direction dans mon alimentation ont fait en sorte qu'on ne savait jamais quoi me servir quand on m'invitait à manger. Végétarienne ou pas ? Un peu des deux ! Mais c'est ma vie, et elle est ponctuée de paradoxes. C'est tellement moi !

Mon premier épisode de végétarisme a duré quatre ans. C'était carrément improvisé : je ne savais même pas ce qu'étaient les besoins nutritifs, je ne connaissais pas le mot protéine, alors arrêter de manger de la viande du jour au lendemain m'a lentement amenée à souffrir de carences. Avant même de le savoir, je sentais que mon corps manquait de fer : l'idée de manger des légumineuses pour combler mon besoin en protéines ne m'était jamais passée par la tête. Tout ce que je savais, c'est qu'être végétarienne était compatible avec mes pulsions de sucre. Évidemment, ne pas manger de viande n'a eu aucune incidence sur mon poids, puisque je continuais à me bourrer de desserts.

Je me souviens très bien du premier repas de viande que j'ai mangé après ma diète imposée qui a duré quatre ans : un steak grillé dans la poêle, avec des patates pilées et des petits pois. Le meilleur repas au monde, préparé par mon mari.

Qui ne l'était pas encore à cette époque.

Mon mariage

J'ai rencontré Patrice en 1979 au camp Marie-Paule ; j'avais 10 ans, lui en avait 12. Plus tard, nous avons travaillé ensemble à ce même camp. Puis, le hasard a fait que nos chemins se sont recroisés ; il faisait partie du groupe Salut, le monde ! et il a aussi voyagé en Amérique centrale, quoique jamais aux mêmes périodes que moi. Bref, nous partagions plusieurs activités et, à l'été 1988, il venait souvent me rendre visite à la patauegoire Dorion, dans l'est de Montréal, où je travaillais comme sauveteuse.

J'avais 20 ans. J'habitais tout près de mon lieu de travail dans un logement situé dans un presbytère, et à un jet de pierre de chez Patrice. À ce moment-là, je terminais un DEC en arts plastiques au cégep de Saint-Jean-sur-Richelieu.

Je voyageais tous les jours de Montréal à Saint-Jean, en métro et en autobus ; j'adorais mes cours. Depuis toujours, j'aimais dessiner et faire de la sculpture. J'étais très créatrice. J'ai avoué mon amour à Patrice dans une belle lettre ; il m'aimait lui aussi. Après quelques mois de fréquentation, nous avons décidé de vivre ensemble.

Nous nous sommes mariés le 18 mai 1991 à l'église Notre-Dame-de-Lourdes, à Verdun. Les cours de préparation au mariage nous ont été donnés par un curé du Moyen-Âge qui voulait nous imposer la chasteté. Il s'est vite rendu compte qu'il était tombé sur une rebelle.

— Je vais m'arranger avec Dieu, ne vous en faites pas ! On s'entend très bien, lui et moi.

— Brigitte ! N'oublie pas que tu dois être soumise à Dieu et à Patrice !

Clin d'œil à mon chum.

— Je ne pense pas que je vais me soumettre à qui que ce soit.

Qui dit mariage dit aussi… robe de mariée. J'avais décidé une fois de plus de faire un régime, histoire d'être au mieux dans ma robe de rêve. Elle était faite de satin blanc jusqu'à la poitrine et de la dentelle blanche montait jusqu'au cou. Les manches longues étaient bouffantes. Des dizaines de petits boutons de satin la fermaient au dos et la jupe gonflait grâce à une crinoline. J'allais porter un beau voile pour compléter le tout. Et, contrairement à mes photos de remise des diplômes que je n'avais pas voulu voir, je voulais à tout prix que mes photos de mariage soient réussies. Je vivais dans l'angoisse de ne pas pouvoir enfiler ma robe le jour du mariage. J'ai donc forcé sur le régime. Résultat ? Au dernier essayage, j'ai dû faire rapetisser ma robe !

Le mois de mai 1991 a été un mois ensoleillé et chaud. Nous avons bien ri lors de la prise de photos du mariage. Vous vous rappelez que, petite fille, j'aimais fanfaronner ? Eh bien, la photo la plus mémorable est certainement celle où je suis grimpée sur le toit de la voiture de ma belle-sœur. Je ne pesais qu'environ 150 livres, mais j'ai tout de même senti le toit de la voiture se courber sous mon poids. Oups ! Je suis redescendue en m'excusant, mais profondément heureuse de la séance photo fofolle que je venais de faire.

Nous avions loué une salle à Verdun, au-dessus du restaurant Labelle BBQ, sur la rue Wellington. Nous avions environ quatre-vingts invités : un peu de famille et beaucoup d'amis. Ç'a été une soirée magnifique ! Le lendemain, nous sommes partis à Orlando, en Floride. Nous avons fait un splendide voyage de noces de deux semaines.

Et puis la vie a repris son cours.

CHAPITRE 2
Mes grossesses

Suivant les recommandations du curé « moyenâgeux » qui nous a mariés, Patrice et moi, nous avons eu beaucoup d'enfants. Quatre, en fait, et tous désirés. J'ai toujours voulu une grande famille, et notre objectif était d'en avoir six. (Malgré ce qu'il pourrait en penser, le curé n'a rien à voir avec notre famille nombreuse.)

Je suis tombée enceinte à 22 ans, peu de temps après notre mariage. J'étais étudiante à l'UQAM en enseignement des arts plastiques. Dans mon cas, l'expression « être enceinte jusqu'aux yeux » était un euphémisme.

C'est à ce moment-là que le barrage dans ma tête a vraiment sauté.

Il y a toujours eu un lien entre le vide que je ressentais dans ma tête et le vide que je ressentais dans mon estomac. Quand le vide se faisait sentir et que j'éprouvais un mal-être profond, j'avais tendance à vouloir le remplir en mangeant, la nourriture m'ayant toujours procuré un contentement instantané. Or, si mon estomac devenait plein, mon esprit, lui, restait sur son appétit.

Alors je mangeais davantage.

Histoire d'un gâteau (pas) de fête

Au cours des premiers mois de ma grossesse, j'ai souffert de nausées… sauf quand je mangeais. Pour contrer ces malaises, je mangeais tout le temps et de manière gargantuesque. Tous mes fantasmes alimentaires y sont passés.

Je me revois un jour passer devant une pâtisserie. Les vitrines des pâtisseries et des confiseries m'ont toujours fait un grand effet. Celle-là m'attirait particulièrement. J'y suis donc entrée, comme on pénètre dans la caverne d'Ali Baba : millefeuilles, tartelettes, mokas, biscuits, meringues, glaçages, coulis, fleurs en sucre, chocolats… J'ai jeté mon dévolu sur un gâteau d'anniversaire à la vanille entièrement glacé de crème au beurre. Une belle pièce ronde destinée à au moins huit personnes. La pâtissière m'a demandé si elle devait y mettre une inscription.

Non, inutile. Ce n'était la fête de personne. Et je n'allais quand même pas pousser le cynisme jusqu'à faire écrire « Bon appétit Brigitte ! »

Je suis rentrée à la maison, le gâteau d'anniversaire sans inscription dans une boîte de carton. J'ai monté péniblement les marches qui menaient à notre logement, au troisième étage. J'étais à bout de souffle. Je n'ai même pas pris le temps d'enlever mon manteau : je me suis dirigée tout droit vers la cuisine.

J'ai déposé la boîte sur la table.

Je suis allée chercher une cuillère.

J'ai ouvert la boîte.

J'ai enfoncé ma cuillère dans le gâteau.

Et j'ai mangé.

Tout le gâteau.

Tout.

Je n'ai pas eu de maux de cœur, mais j'ai ressenti beaucoup de honte. Je regardais la boîte vide et le plateau de carton argenté sur lequel il restait quelques miettes.

Comme l'aurait fait une vague, j'ai été submergée de tristesse et de honte. Je me dégoûtais. Je ne pouvais pas avoir mangé tout ça ! Ce n'était pas bien. Je devais cacher la boîte. En même temps, ç'avait été bon. Et si jamais j'avais envie d'un autre gâteau, un autre jour ? Ah ! Il faudrait sans doute que je change de pâtisserie. Mon Dieu que ma vie était compliquée ! Personne ne devait savoir ce que je venais de faire. Je me sentais comme une petite fille qui avait fait un mauvais coup.

Mais comme une petite fille coupable qui veut se faire pardonner, j'ai tout raconté à Patrice. Il a froncé les sourcils. Il devait lui aussi se demander si c'était mal, ou bien si c'était normal. Après tout, les femmes enceintes sont parfois difficiles à saisir et leurs goûts alimentaires sont parfois dérangés… Mais au point de manger huit portions de gâteau ? Il était perplexe.

Ma grand-mère paternelle, Irène, m'avait raconté avoir pris près de 80 livres durant sa grossesse. Mon père pesait près de 11 livres à sa naissance. Il faut dire que ma grand-mère était une spécialiste des desserts. Peu importe la saison, son frigo contenait en permanence du sucre à la crème, du fudge, des carrés aux dattes et du pouding chômeur. Elle adorait cuisiner des gourmandises et elle adorait en manger. Elle m'avait appris à faire des bonbons aux patates. Je n'ai jamais vraiment aimé cela, mais je trouvais amusante l'idée de confectionner des sucreries à partir de pommes de terre. Vous voyez que la pomme ne tombe jamais bien loin de l'arbre…

Je me disais que tout m'était permis maintenant que j'étais enceinte. Je pouvais me permettre tous les excès auxquels j'avais rêvé, car, après tout, on pouvait penser : elle est grosse parce qu'elle est enceinte. J'allais engraisser de toute manière ! Par la suite, je l'ai regretté amèrement.

Les nausées se sont poursuivies, et, en soirée, le seul repas qui me soulageait vraiment était le sandwich aux œufs et au fromage. C'était mon quatrième repas de la journée, quand je revenais de mes cours à l'université. Comme je n'avais que des nausées, et non des vomissements, je ne maigrissais pas ; j'engraissais tout simplement. Je me soufflais comme un ballon gonflé à l'hélium.

Isolée sur la Côte-Nord

Je n'avais pas encore accouché lorsque nous avons déménagé à Pointe-Lebel, sur la Côte-Nord. Mon mari avait trouvé un stage dans un cabinet d'avocats, à Baie-Comeau. Étant une fille sociable et aimant l'aventure, j'étais enchantée par ce déménagement. Je voulais faire du bénévolat durant ma grossesse. Et puisque j'aimais aussi bien la ville que la campagne, l'idée de partir loin de Montréal ne me faisait pas peur.

Arrivée à Pointe-Lebel, une chose avait retenu mon attention : il n'y avait que des épinettes. À perte de vue. J'ai ressenti un étrange sentiment d'oppression. Maintenant, quand j'y pense, je me rappelle que les gens de là-bas me parlaient presque avec effroi des visites qu'ils avaient faites à Montréal. Mais moi, ce n'est pas le fait d'être entourée de béton et de gratte-ciel qui avait provoqué mon malaise, c'était d'être littéralement engloutie par les arbres.

Des arbres, des arbres et encore des arbres !

Heureusement, mon mari nous avait déniché une petite maison tout près du fleuve. Nous habitions dans un paysage enchanteur, mais terriblement isolé. Comme je devais trouver un médecin, je m'étais présentée à la clinique. Après m'avoir posé plusieurs questions et m'avoir examinée, le médecin m'a mise au repos forcé. Ma santé était bonne, je ne faisais même pas de diabète de grossesse ! Quand j'y repense, je me dis que cela aurait pu être salutaire pour moi : cela m'aurait forcée à faire attention à la quantité de sucre que j'ingérais. Mais non. Si j'ai été mise au repos, c'est parce que j'étais à risque de souffrir d'éclampsie, comme ma mère.

Oh mon Dieu !

J'allais me retrouver seule dans les bois à longueur de journée !

Avec comme seul ami le garde-manger !

J'aurais pu me faire des amies pour me forcer à sortir de chez moi, mais il est difficile de s'installer dans une petite communauté majoritairement habitée par les mêmes familles depuis longtemps et réussir à tisser des liens. Jamais je ne m'étais sentie si seule, si loin. J'avais l'impression d'avoir immigré. Le nom de ma rue correspondait au nom de toutes les familles de la rue… sauf nous.

Nous étions les « étranges de la grande ville ».

Le dernier banc de neige de notre petite cour a fondu le 8 juin. Je déprimais et je mangeais, et plus je mangeais, plus je déprimais. La seule activité que je faisais était l'aquagym, une fois par semaine. Là, au moins, je me sentais légère. Je flottais facilement, je n'avais pratiquement pas besoin de bouger pour me maintenir à la surface de l'eau. Ça me faisait oublier tout le poids que je prenais.

Je devais me rendre à la clinique de prévention des grossesses à risque une fois par semaine.

Assise avec les autres femmes, je me plaisais à faire des blagues sur mon poids. Je leur disais que ma prochaine pesée allait sûrement avoir lieu sur le bord de l'autoroute avec les poids lourds. Je me confortais à dire des niaiseries plutôt que de tenter de remédier à la situation.

Étais-je prisonnière de mon corps, ou était-ce mon corps qui était pris en otage par mon esprit tordu ? Le médecin trouvait que j'engraissais beaucoup et trop vite. Mais que pouvait-il faire à part me dire de faire attention ? Il ne pouvait pas se pointer chez moi et me surveiller chaque fois que j'ouvrais la porte du garde-manger. Et moi, je faisais bien attention de ne pas lui raconter mes excès…

— Brigitte… ?

Du fond du garde-manger, une boîte de baklavas m'appelle.

— On sait que tu es là…

— Non !

Je mets mes mains sur mes oreilles, mais c'est inutile : les voix sont des voix intérieures. Je me dirige vers l'armoire. J'ouvre la porte. Les gâteaux mielleux me regardent, mes papilles s'activent. Mon cerveau anticipe déjà la sensation du sucre sur ma langue. Je referme la porte sur laquelle je m'accote, dos à l'armoire.

— Brigitte ? Pourquoi as-tu refermé la porte ? Allez, seulement un morceau, y'a pas de mal…

Je me sens ramollir.

— Brigitte !
— Ah ! D'accord, juste un !

J'ouvre la porte, je prends la petite boîte de plastique, puis je vais m'asseoir sur le canapé du salon. Je vais en manger juste un. Mais je sais très bien que je me mens : la preuve, j'ai apporté TOUTE la boîte avec moi. Je ne serai pas capable d'en prendre juste un.

L'odeur sucrée me chatouille le nez. Je prends un morceau de pâte feuilletée et je croque dedans, doucement.

Je n'ai jamais su m'arrêter. Le reste de la boîte, je l'ai dévoré sans goûter au miel, à la pâte phyllo ou aux pistaches croquantes. Je me suis levée et, comme pour la boîte du gâteau de fête, je suis allée camoufler l'emballage des baklavas bien profondément dans la poubelle.

Je venais de consommer 1600 calories en deux minutes.

Lors d'une crise d'hyperphagie, je pouvais consommer facilement 3000 calories en trop dans ma journée.

Quand j'y pense, je me dis que j'aurais pu lancer un appel à l'aide. Mais je ne l'ai pas fait. Je crois que je n'étais pas consciente de l'ampleur ni de la nature de mon problème alimentaire. J'étais très malheureuse et l'isolement me faisait souffrir énormément.

Et le trouble alimentaire de l'hyperphagie n'avait pas encore été identifié.

Une énorme marguerite

Durant ma grossesse, j'ai pris 50 livres, et ce n'était pas à cause de la rétention d'eau. Sur les photographies datant d'une semaine avant mon accouchement, je suis énorme. Littéralement. Je n'avais plus de chevilles. J'avais des « tuyaux de poêle à la place des jambes », aurait dit ma grand-mère.

J'avais trouvé une tenue de maternité à ma taille, une robe bleu marine imprimée d'une belle grande marguerite jaune. Quelque chose de bien joyeux. La robe était tellement ample que je me disais, avant de l'essayer, qu'elle aurait pu servir de toile de piscine ! Ha ! Ha ! Ha ! Je rigolais bien.

C'est avec horreur que j'ai constaté que je rentrais à peine dedans.

J'aurais bien aimé en essayer d'autres, mais malheureusement, c'était le vêtement le plus grand qu'offrait la boutique de maternité de Baie-Comeau. C'était joli et délicat, une marguerite dans un champ, mais une marguerite qui faisait quasiment deux pieds sur deux pieds dans le bas d'une robe, c'était épeurant ! Je ressemblais à une plante carnivore géante qui voulait avaler quelqu'un dans le scénario d'un mauvais film d'horreur.

Ce jour-là, j'ai versé toutes les larmes de mon corps dans la cabine d'essayage. Plusieurs femmes ont l'impression d'être grosses et moches vers la fin de leur grossesse, surtout quand les vêtements deviennent trop petits, quand les pieds enflent au point de ne plus arriver à se chausser. Assise sur mon petit tabouret, je vivais ce désespoir à la puissance 1000, la robe à la fleur gigantesque posée devant moi.

Je ne voulais surtout pas sortir de la cabine en pleurs. Mon mari m'attendait de l'autre côté de la porte, impuissant. Même s'il m'avait dit que je n'étais pas grosse et que la robe me mettait en valeur, je ne l'aurais pas cru.

Je lui en voulais.

Je lui en voulais parce qu'il allait être père, comme j'allais être mère, mais lui, son corps n'avait pas changé. Il était toujours aussi beau, grand et mince. Avec ses 6 pieds 3 pouces, il pouvait manger ce qu'il voulait.

Je lui en voulais parce qu'il était raisonnable, parce qu'il ne perdait pas le contrôle devant un gâteau dans une pâtisserie.

Je lui en voulais d'être un homme.

Moi, je me métamorphosais en un je-ne-sais-quoi, et je n'aimais pas ça. Me consoler à l'idée que c'était pour une bonne cause, parce que je portais un bébé, ce n'était pas assez. Je ne voyais que le mauvais côté des choses. J'avais des vergetures plein le ventre. J'avais les seins aussi gros que des ballons de basketball et j'avais les cuisses constellées de cellulite. Des cuisses tellement grosses qu'elles frottaient l'une contre l'autre, me causant de douloureuses irritations. Mon visage, rouge et bouffi, était méconnaissable. J'avais de la difficulté à m'asseoir et à me lever. À respirer.

Et lui, de l'autre côté de la cabine, frais et dispos, n'avait sûrement qu'une phrase creuse à me dire, du réconfort de pacotille. Je me voyais déjà lui faire la scène de sa vie s'il osait me dire que j'étais belle. Isolée dans ma cabine, je me suis apitoyée sur mon sort : la vie était injuste.

Heureusement, mon mari n'a jamais été du genre à parler pour ne rien dire. Il m'a tout simplement regardée avec son sourire compatissant. Ç'a été suffisant.

Nous avons payé l'affreuse robe et nous sommes sortis de la boutique. Il n'a pas dit un seul mot lors du chemin du retour. Il a simplement essuyé une larme sur ma joue, a ensuite déposé un baiser sur ma main puis a posé sa main sur ma cuisse, en me disant qu'il m'aimait. J'ai versé tant de larmes qu'on aurait pu se noyer dans la voiture. Je lui ai dit que, heureusement, j'étais sauveteuse. Toujours le mot pour rire.

Je n'ai jamais compris celles qui se pâmaient de plaisir d'être enceintes, comme si c'était l'état le plus magnifique qui soit ! Magnifique, vraiment ? Pour moi, c'était à la limite du cauchemar. J'étais devenue la guimauve géante du film *Ghostbusters* et j'allais bientôt éclater en me collant aux parois des maisons !

Un accouchement qui n'en finit plus !

Le lundi 3 août : c'était ma dernière rencontre à la clinique de grossesse à risques élevés (clinique GARE) : on avait détecté des protéines dans mon urine, un signe avant-coureur de la prééclampsie. Pas question de me permettre de retourner à la maison : on m'hospitalisait en prévision d'un accouchement qui serait provoqué le lendemain. Les infirmières m'ont préparée et je devais être à jeun pour l'accouchement. Juste l'expression « à jeun » me donnait faim ! Je n'allais jamais pouvoir tenir jusqu'au lendemain sans manger !

Le mardi 4 août : très tôt le matin, on m'a administré un médicament pour provoquer des contractions, qui se sont manifestées presque immédiatement, mais qui étaient inefficaces. On a décidé d'arrêter le processus et d'attendre jusqu'au jeudi. D'ici là, mieux valait rester à jeun. J'avais souffert toute la journée pour rien. J'étais morte de faim et de fatigue.

Le mercredi 5 août : j'étais affamée. Voilà deux jours que je n'avais rien mangé. Mon corps réclamait sa pitance, mais on ne m'y autorisait pas : la consigne était claire. Le jeûne m'était imposé.

Le jeudi 6 août, au matin : on m'avait redonné une injection du médicament pour provoquer les contractions. J'étais épuisée, vidée, impatiente et je mourais de faim. Heureusement, mon mari était à mes côtés ; malheureusement pour lui, en raison de l'état dans lequel j'étais, je n'étais pas très gentille. Vers l'heure du souper, après que j'aie passé la journée à avoir des contractions, le médecin est venu m'annoncer qu'on allait une fois de plus suspendre le travail parce que mon col de l'utérus refusait de s'ouvrir. QUOI ? Le protocole consistait à maintenir l'état de jeûne puis d'attendre 24 heures avant d'appliquer un produit sur mon col pour déclencher une fois de plus les contractions. J'étais sans voix.

Le vendredi 7 août, en soirée : l'application dudit produit a effectivement provoqué des contractions durant toute la nuit. Mon mari avait demandé si je pouvais manger, mais on lui a répondu que je ne pouvais que sucer des glaçons. Sucer des glaçons ! Ça faisait cinq jours que je n'avais rien mangé ! Il est difficile de trouver une plus grande torture pour quelqu'un qui souffre de troubles de compulsions alimentaires ! J'étais en train de mourir ! J'allais disparaître de la surface de la Terre ! Ce n'était plus juste un gâteau de fête que j'imaginais, je commençais à halluciner des tartes et des croissants volant au-dessus de moi, que j'attrapais au passage pour m'emplir la panse !

Le samedi 8 août, en soirée : j'avais finalement perdu mes eaux. Le vrai travail allait pouvoir se faire. Ah oui ?

Le dimanche 9 août, 21 h : on m'a annoncé une césarienne, mon col de l'utérus ayant refusé de s'ouvrir de plus de 3 cm. J'étais tellement enflée qu'ils devaient être six pour pouvoir m'insérer la sonde. Mais j'ai finalement eu mon bébé : une belle fille, Gabrielle. Et j'allais enfin pouvoir manger. Ah oui ?

Le lundi matin, alors que je croyais enfin pouvoir avoir droit à un plateau de nourriture, l'infirmière est arrivée avec… un pouding. Il fallait, m'a-t-elle dit, recommencer à manger tranquillement après un jeûne d'une semaine.

NON, MAIS… ME NIAISEZ-VOUS ?

J'avais vécu le stress de ma vie. Gabrielle était à la pouponnière, j'étais incapable de m'y déplacer pour la voir, et en plus on m'empêchait de manger ? Comment devais-je calmer mon anxiété ?

C'était la fin du monde.

Ça m'a pris cinq jours avant de pouvoir marcher jusqu'à la pouponnière pour voir ma fille, et quand je suis arrivée au bout du corridor, l'infirmière m'a dit :

— N'allez pas la déranger ! Je viens de l'endormir…

De retour à la maison, un trou sans fond

Si je m'étais sentie seule, déprimée et isolée avant d'accoucher, la situation était la même de retour à la maison avec le bébé. Ma petite fille souffrait de coliques, et moi, en plus de souffrir de déprime et d'isolement, je souffrais durement du manque de sommeil. À l'époque, le congé de paternité était très court, trop court : trois jours, et c'est tout. Je me sentais tellement isolée, coincée entre la mer et la forêt, que j'avais le goût d'aller sonner à n'importe quelle porte pour demander : « Voulez-vous être mon amie ? »

Mais au lieu de ça, je m'installais sur le canapé pour allaiter Gabrielle, et je mangeais devant les feuilletons américains du matin jusqu'au soir. Celles qui ont allaité leur bébé savent qu'on ressent souvent une plus grande faim et une plus grande soif qu'à l'habitude, et que ce n'est certainement pas le bon moment pour commencer un régime. Mais mon surplus de poids était tel que je n'avais pas trouvé de soutien-gorge d'allaitement à ma taille, du 42 DD, dans aucune des boutiques de Baie-Comeau.

Lueur à l'horizon. Comme le stage de mon mari tirait à sa fin, nous allions pouvoir retourner vivre « dans le Sud ». Patrice avait fait des entrevues à Montréal ; il m'a donc téléphoné un dimanche matin pour m'annoncer deux nouvelles.

— La bonne nouvelle, c'est que j'ai trouvé un emploi.

Super ! Alléluia ! J'étais vraiment heureuse. Fini l'isolement, j'allais retrouver la ville ! Enfin ! L'air revenait dans mes poumons !

— La mauvaise nouvelle, c'est que je commence à travailler demain.

Silence.

J'étais à l'autre bout du monde avec un bébé qui souffrait de coliques et mon mari était à huit heures de route avec notre seul véhicule.

— Qu'est-ce que tu en penses ? a demandé Patrice.

Ce que j'en pensais ? Que je manquais d'air, qu'il fallait absolument que je respire. Que l'angoisse d'être seule avec Gabrielle m'avait submergée comme une vague. J'étais incapable de dire quoi que ce soit. J'allais mourir, c'était écrit dans le ciel.

Au bout du fil, Patrice m'expliquait que son père était prêt à l'héberger le temps qu'il nous trouve un endroit où habiter à Montréal. D'ici là, il reviendrait chaque fin de semaine à Baie-Comeau. Nous avons convenu que c'était la meilleure solution pour retourner vivre en ville.

J'ai raccroché le téléphone, le cœur en miettes, et j'ai sauté dans le chocolat. J'ai passé la pire nuit de toute ma vie, avec un bébé en crise qui devait me sentir stressée, et moi qui frôlais l'hystérie.

Nous avons vécu cette situation désagréable durant quatre mois avant de pouvoir vivre ensemble de nouveau, cette fois dans une banlieue de Montréal. Je suis tombée de nouveau enceinte six mois après avoir accouché de Gabrielle. Même si j'étais follement heureuse d'avoir un deuxième enfant, la possibilité d'un accouchement aussi cauchemardesque que le premier m'angoissait terriblement. Alors quand j'ai rencontré mon nouveau médecin, j'étais catégorique : je voulais une césarienne. Il a bien tenté de me convaincre de réessayer un accouchement naturel, mais je n'étais pas prête à ça. C'était mon corps et j'allais faire ce qui me plaisait. Déjà que ça ne me plaisait pas d'accoucher, j'allais au moins décider de la manière.

À ma deuxième grossesse, j'avais une fixation sur les poires. J'en mangeais environ six par jour. Patrice était responsable de me les apporter après son travail. Je les découpais en morceaux et je les avalais avec gourmandise. Après tout, c'était mieux que d'engloutir des gâteaux de fête, non ?

Gabrielle était une petite fille énergique qui a commencé à marcher à neuf mois. Elle courait dans tous les sens sur la pointe des pieds et battait des mains quand elle était heureuse. Elle souriait et jargonnait sans arrêt. Je n'avais pas vraiment le temps de mettre mes mains sur mon ventre pour savourer ma grossesse puisqu'elles étaient occupées à protéger ma petite fille, qui ne connaissait pas la notion de danger. Elle faisait des allers-retours dans la cuisine en courant. Ma grossesse me fatiguait, Gabrielle m'épuisait et j'avais trop peu souvent le loisir de me reposer.

Nous n'avions toujours qu'une automobile, et mon mari l'utilisait pour aller travailler. Je me sentais captive dans la maison, je tournais en rond comme un lion en cage... et naturellement, je passais souvent devant le garde-manger. Nous habitions dans une magnifique maison, quoique très petite. Je passais donc beaucoup de temps dans ma cuisine...

J'ai trop mangé pendant cette grossesse aussi. J'avais parlé à mon médecin de mon inquiétude liée à mon poids, mais il m'avait répondu qu'on en parlerait après mon accouchement. Je mangeais pour calmer mon anxiété, car le sentiment de captivité m'envahissait. Mes sorties se résumaient à aller au parc ou à l'épicerie. J'étouffais. Mon mari partait très tôt le matin et revenait très tard, car il travaillait à plus d'une heure trente de route. Et comme je ne fréquentais pas beaucoup ma famille à cette époque, j'avais très peu de figures aimantes vers qui me tourner dans la journée.

Oh, nous avions quelques amis que nous voyions de temps à autre. Mais je vivais parfois difficilement ces « soupers de couples » : j'étais heureuse de sortir de la maison avec mon mari, mais je n'avais rien d'intéressant à raconter. J'avais de la difficulté à prendre part avec entrain aux discussions. Nos amis n'avaient pas encore d'enfants ; ils travaillaient, s'épanouissaient, faisaient mille et un projets, voyageaient.

On s'inquiétait de mon air fatigué. Eh oui, que voulez-vous, c'est exigeant, élever un enfant. Même si j'étais épuisée, j'avais une désagréable impression de vide et de non-accomplissement. Les gens s'intéresseraient-ils vraiment à ma réalité ? J'ai changé huit couches sales dans ma journée ; j'ai fait du ménage, du lavage, de l'époussetage et la vaisselle ; j'ai préparé des repas ; j'ai tenté dix fois d'habiller Gabrielle avant de la sortir au parc ; j'ai fait l'épicerie avant de laisser le panier dans une allée pour revenir à la maison avec un bébé en crise sous le bras ; j'ai changé ma fille encore une fois parce qu'elle avait pleuré jusqu'à en vomir ; j'ai déneigé l'entrée ; j'ai ramassé trois dégâts, mais seulement trois parce qu'aujourd'hui était une « bonne journée »…

Non, ça ne les intéresserait probablement pas. Donc je me la fermais.

Je savais qu'il y avait des parents qui restaient à la maison et qui s'épanouissaient dans leur rôle, mais ce n'était pas mon cas. En 1977, Angèle Arsenault a chanté qu'elle mangeait quand elle était tannée, nerveuse, complexée, pendant que les autres faisaient de l'artisanat, jouaient au bingo, rêvaient de pays chaud[1]. Il y avait 15 ans d'écart entre la création de cette chanson et ma réalité, mais c'est comme si elle racontait MA vie. Je mangeais par ennui. Je mangeais par frustration. Je mangeais par habitude. Je mangeais pour manger. Il faut dire que passer mes nuits debout n'aidait en rien à la situation. Gabrielle n'arrivait pas à dormir. Et durant la journée, elle faisait de nombreuses crises. À ce moment-là, je ne savais pas que ça présageait un trouble. C'était mon premier bébé, et je ne m'inquiétais pas.

Bébé numéro 2

Jusqu'à la dernière minute, mon médecin a tenté de me faire changer d'avis en ce qui a trait à l'accouchement, mais il n'a pas réussi. Et ça s'est très bien passé. J'ai eu ma césarienne à midi, et à 21 h, je me levais sans aide. Les infirmières étaient étonnées.

Quelques jours plus tard, je revenais à la maison avec Étienne. C'était un bébé qui dormait, mangeait et jouait de façon régulière et calme. Même s'il partageait la chambre de Gabrielle, il ne se réveillait jamais la nuit, malgré les hurlements de sa sœur.

Très tôt, Étienne a commencé à imiter les autres. C'est à ce moment que j'ai pris conscience que Gabrielle n'avait jamais fait ça. Elle n'avait même jamais tendu les bras pour que je la prenne. Elle avait 2 ans quand j'ai décidé d'aller consulter mon médecin. Elle ne parlait pas. Elle jargonnait et marchait toujours sur la pointe des pieds en battant des mains et en émettant des petits cris. C'était une fillette enjouée et souriante, mais en la comparant avec son frère, je savais que quelque chose n'allait pas. Le médecin me répétait que je m'inquiétais pour rien, comme la plupart des mères ; je lui ai dit que j'étais une

---

1 *Moi j'mange*, paroles et musique Angèle Arsenault, 1977.

femme déterminée et que je ne sortirais pas de son bureau avant d'avoir une ordonnance pour consulter un spécialiste. Il m'a regardée, puis a froncé les sourcils ; il comprenait que j'étais sérieuse. Il a griffonné le papier demandé.

Les démarches ont été entreprises et nous avons obtenu un rendez-vous à l'Hôpital Sainte-Justine. Le diagnostic a été posé quelques semaines plus tard : Gabrielle était autiste.

Si j'étais soulagée de pouvoir mettre un nom sur la différence que je percevais chez ma fille, j'étais surtout profondément sidérée.

Quand j'ai reçu le rapport du pédopsychiatre, je me suis effondrée : la conclusion disait clairement que Gabrielle était atteinte d'autisme à cause de sa « relation frigide avec sa mère ».

C'était trop pour ce que je pouvais supporter.

Ma fille et moi avions une très bonne relation. Comment pouvait-il dire une chose si horrible ? J'étais tellement fatiguée, tellement exténuée, et maintenant, je devais porter le blâme de cette différence ? Aujourd'hui, la science a évolué et, même si on ne connaît pas la cause de l'autisme, on n'accuse heureusement plus les mères.

Je ne souhaite à personne de porter un tel fardeau. En plus, le médecin m'avait dit que ma fille ne me montrerait jamais son amour, qu'elle ne parlerait probablement jamais, qu'elle ne serait jamais propre… Bref, il m'a souhaité bonne chance et voilà ! Pas de recommandations professionnelles pour avoir de l'aide. Rien ! *Nothing* ! *Nada* ! Bonsoir et merci !

Patrice a eu beaucoup de mal à assimiler cette nouvelle. Il ne comprenait pas ce qui arrivait. Je ne sais pas où j'ai trouvé le courage, mais j'ai appelé l'organisme Autisme Montréal. Je n'arrivais pas à parler, je ne faisais que sangloter.

J'imagine qu'ils étaient habitués à recevoir ce genre d'appels. Sans impatience, la dame à l'autre bout du fil a attendu que je me calme et m'a aidée à m'orienter dans la recherche de soutien.

Encore une bouchée d'anxiété, ma Brigitte ?

Je me suis mise à manger d'une façon complètement déjantée, probablement parce que j'avais de la peine, beaucoup trop de peine pour ce que je pouvais supporter. C'est comme si le monde autour de moi venait de s'ouvrir sous mes pieds et que je tombais dans le vide. Je tombais sans fin, je mangeais sans fin. Et sans faim. Popeye, lui, allait chercher sa force dans les épinards ; moi, dans les desserts. L'idée de manger des épinards pour me réconcilier avec la vie ne m'a jamais traversé l'esprit.

J'ai réussi à obtenir de l'appui pour Gabrielle : on m'offrait de l'aide à domicile à raison d'une heure et demie toutes les deux semaines. Ce qui, avec les congés du temps des Fêtes et les vacances d'été, représentait 24 heures de service par année. Wow. Sincèrement, on ne doit pas s'étonner des parents qui crient « Au secours ! »

Heureusement, Francine, la personne qui s'occupait de Gabrielle, était merveilleuse. Je la côtoie toujours. Elle venait chez moi et jouait avec Gabrielle, en incluant toujours Étienne dans les activités. Je n'ai jamais senti de jugement de sa part, et c'est probablement ce pour quoi je lui suis le plus reconnaissante.

Bien que, à cette époque, on recommandait que les enfants autistes aient une routine établie, je croyais nécessaire que Gabrielle soit confrontée aux changements. J'en payais les frais, car le moindre changement causait une crise. J'étais mordue et égratignée à la grandeur du corps, mais je tenais à ce qu'elle apprenne d'une manière différente plutôt que d'accepter qu'elle vive dans un carcan. Gabrielle ne jouait pas avec les objets, elle les alignait devant elle.

Alors je déplaçais les crayons qu'elle venait d'aligner de sorte à former un cercle ou un triangle, histoire de lui montrer une perspective différente.

Et hop ! Une crise de Gaby !

Et hop ! Un biscuit pour maman !

Pendant que je mangeais pour oublier ma réalité, ma fille refusait de goûter à tout nouvel aliment et se nourrissait presque exclusivement de pommes, de frites, de mayonnaise et de fromage. D'ailleurs, « frites ! » a été l'un des premiers mots qu'elle a dit, vers trois ans et demi. Quand j'ai confié au médecin quelle était la diète de Gabrielle, il m'a demandé de quoi je me plaignais. J'imagine que d'autres enfants autistes mangent encore moins bien que ma fille...

Si, à ce moment-là, la télé, la radio et les journaux diffusaient des campagnes de sensibilisation pour mieux manger ou pour avoir de saines habitudes de vie, je ne les ai pas vues. J'étais en mode survie, optant pour des solutions simples, faciles, et qui n'opposaient pas de résistance dans ma famille. J'achetais des croquettes de poisson et des frites congelées, des pâtés au poulet et des pâtés au jambon. Naturellement, il y avait beaucoup de desserts et de collations dans la maison, mais il y avait toujours des fruits et des légumes dans mon frigo. Et je faisais ma propre sauce à spaghetti, ce qui n'était pas rien.

J'étais émue que Gabrielle ait défié le pronostic et qu'elle ait réussi à prononcer un mot, même si ce n'était pas « maman ». Je savais qu'un jour, ma fille maîtriserait le langage. Parce que la nuit, je l'entendais parler...

Gabrielle ne dormait toujours pas durant la nuit et ne semblait pas avoir besoin de faire des siestes durant le jour. Et ce n'est pas faute de l'avoir bercée et couchée ! J'étais... à bout.

Et comme si ce n'était pas assez...

Je pensais avoir atteint le fond du baril quand mon mari a reçu un diagnostic de cancer. Il devait être opéré d'urgence, la tumeur pouvait avoir répandu ses métastases. Ce serait une grande opération. Sincèrement, je sentais que je dérapais. Comment allais-je faire pour passer à travers ça ? Pourquoi la vie s'acharnait-elle sur nous ? Pourquoi moi ?

Et au moment où je pensais avoir vraiment atteint le désespoir le plus profond, Étienne s'est mis à battre des mains et à marcher sur la pointe des pieds. Comme Gabrielle. À la clinique du développement de l'enfant, on a évalué mon garçon pour me dire que, de toute évidence, sans en être parfaitement certain, il y avait de fortes chances qu'Étienne soit aussi atteint d'autisme.

Un nuage noir a couvert mon esprit et, pour la première fois de ma vie, j'ai pensé au suicide. Morte, je souffrirais moins. De plus, si j'étais réellement responsable de l'autisme de mes enfants, ils seraient mieux sans moi.

Je n'avais jamais eu de rêves hyper ambitieux pour mes enfants, mais je ne m'étais jamais imaginé qu'ils ne se développent pas normalement, comme la majorité des enfants. Quel deuil ! Quelle douleur ! Je n'avais jamais ressenti une souffrance aussi grande. Pas même celle de l'accouchement ! C'est une douleur qui ne part jamais, qui ne guérit jamais. Elle s'efface par instants pour mieux resurgir quand on s'y attend le moins. Elle nous frappe et nous ébranle à tout jamais. Il ne faut jamais sous-estimer la douleur des parents qui reçoivent le diagnostic d'une maladie ou d'une condition médicale grave chez leur enfant.

Ce sont les amitiés que j'avais bâties après la naissance d'Étienne, dans un groupe de soutien pour l'allaitement maternel, qui m'ont sauvée. Les filles, toutes mères, m'ont beaucoup soutenue. Leur présence dans ma vie m'a apporté suffisamment de réconfort pour que je ne tente pas de me suicider.

Et puis, il y avait le garde-manger, toujours prêt, toujours plein, toujours là. Le comblement de mes pulsions alimentaires était le seul moyen efficace de m'adapter aux situations. Bien sûr, je ne dis pas que c'était un bon moyen, mais à ce moment-là, personne n'aurait pu m'empêcher de manger ma rangée de biscuits. C'était ma recharge d'énergie. Je ne dormais pas la nuit, je ne dormais pas le jour, j'étais un zombie qui se nourrissait de tartes et de sucreries, mais je tenais bon.

Ah ! Un peu de répit !

En grandissant, Étienne a cessé de battre des mains et de marcher sur la pointe des pieds. Comme son développement était normal, on a compris qu'il imitait tout simplement sa sœur. Il s'est mis à parler assez tôt et à forcer Gabrielle à en faire de même. « Réponds-moi, Gaby ! Gaby ! Je t'ai parlé ! » Il a été son modèle. Alors que la détermination d'un adulte peut avoir certaines limites, celle d'un enfant peut être illimitée. Il insistait tellement pour qu'elle lui réponde qu'elle a fini par accepter de sortir de temps en temps de son propre monde pour entrer dans notre monde à nous.

De son côté, l'opération pour le cancer de mon mari s'est bien déroulée et, au printemps 1994, après trois mois de convalescence, il a pu reprendre le travail. Nous avions traversé tant d'épreuves. La vie reprenait un rythme plus calme.

À cette époque, nous n'avions vraiment pas beaucoup d'argent. Avez-vous remarqué que les aliments qui sont les moins chers sont souvent les aliments qui sont les moins bons pour la santé ? Puisque j'avais repris le contrôle sur ma vie, j'avais du temps pour me regarder. Et je n'ai pas aimé ce que j'ai vu. J'étais découragée par mon excès de poids. Je devais porter mes anciens vêtements de maternité parce que je ne rentrais plus dans mes tenues habituelles. Et je n'avais ni l'argent ni le courage d'aller magasiner. Porter des pantalons et des chandails de maternité même si je n'étais plus enceinte ne pouvait pas me faire plus mal.

J'ai renoué avec la honte. Honte de manger, honte de grossir, honte de m'habiller. Honte de ressentir de la culpabilité, car j'ai une relation frigide avec ma fille (même si ce n'était pas le cas). Honteuse, je suis allée à la pharmacie où j'ai acheté des barres amaigrissantes et des laits frappés. Je voulais maigrir vite. Et, pour la première fois depuis longtemps, le goût de la bougeotte m'a repris. Malgré nos moyens financiers limités, j'ai déniché une paire de patins à roues alignées et j'ai commencé à patiner. Peu à peu, j'ai réussi à perdre du poids et j'ai même commencé à me sentir... joyeuse !

Chassez le naturel, il revient au galop

Je n'ai pas réussi à me nourrir de ces barres amaigrissantes très longtemps. Comme lors de tous les autres régimes que j'avais faits, j'ai réussi à perdre quelques livres au cours du premier mois et demi, puis j'ai repris le poids perdu en recommençant à manger « normalement ».

Retour à la case départ.

Après une période satisfaisante, j'étais retombée dans un état de déprime, et j'avais l'impression d'étouffer. J'étais malheureuse. Pourtant, j'aimais profondément mes enfants, je les avais voulus et je tenais à leur donner le meilleur de moi-même. Je ne voulais pas les envoyer à la garderie. Je voulais les éduquer et être présente. Je n'avais pas de loisirs, pratiquement pas de contacts avec ma famille, pas de répit. Mais j'avais aussi un sérieux besoin de me défouler. J'ai donc écrit sur ma situation de mère au foyer, à la manière d'une pièce de théâtre. La pièce a été jouée plusieurs fois ; les profits ont été versés à l'organisme communautaire Carrefour familial du Richelieu pour lequel je travaillais.

Restaurant, jour. Un groupe d'amis. La femme de l'un d'entre eux, Caroline, professeure sans enfant, méprise tout le monde, particulièrement les parents. Le personnage principal, Brigitte, une mère au foyer, décide de lui rendre la monnaie de sa pièce.

— Ça doit être dur pour tes élèves d'avoir une enseignante si parfaite ?

— Non, ça leur donne un modèle. Je comprends très bien les enfants, je ne comprends juste pas les parents. De nos jours, y'a tellement de livres sur l'éducation des enfants que j'me demande comment certains font pour manquer leur coup !

— Tu me parles de tes parents ? (*Sourire narquois*)

— Non, je parle des parents de mes élèves. Je comprends qu'ils les aiment, mais l'amour, c'est pas tout dans la vie.

Jean-Pierre, son mari, imbibé d'alcool, émerge du néant pour se mêler à la conversation.

— Non, une chance qu'y' a l'vin !

Caroline continue de provoquer Brigitte avec ses idées toutes faites.

— Moi, je pense qu'il faut être ferme avec les enfants.

Brigitte :

— Ben, oui, tu connais ça.

Jean-Pierre :

— Ouais ! Caroline, elle a une main de velours qui tient une barre de fer... ou quelque chose du genre...

Caroline, insultée, réplique.

— On dit « une main de fer dans un gant de velours ».

Brigitte se lève, excédée.

— Mais l'entendez-vous ? Tu me fais chier avec tes grandes théories ! Si c'est si facile que ça, élever des enfants, pourquoi t'en as pas eu, la smatte ? Avais-tu peur qu'on te juge comme tu me juges ?

Caroline, hautaine, devient fielleuse.

— Non, moi, j'avais de l'ambition. Mais peut-être que c'est un mot que t'as pas appris dans ton DEC en arts plastiques ?

Brigitte fulmine.

— Ce que j'ai appris, c'est qu'on n'apprend pas les choses les plus importantes à l'école !

— T'es peut-être pas allée à l'école assez longtemps.

— Si c'était pour me transformer en ce que t'es devenue, je suis bien heureuse de m'être arrêtée avant !

Brigitte a eu le dernier mot. Fin.

Jamais deux sans trois !

Ma plus grande prise de poids est associée à ma troisième grossesse. Étienne allait avoir 6 ans, et Gabrielle, 7. Durant près de neuf mois, jusqu'à ce que j'accouche, en juin 1999, j'ai mangé de la poutine. C'était à peu près le seul mets qui ne me donnait pas de nausées. Je pesais plus de 215 livres... et je mesurais toujours 5 pieds 2 pouces.

Pendant ma grossesse, j'ai commencé à avoir de l'inspiration pour écrire des livres pour enfants. Mon premier conte n'a malheureusement pas été publié. C'était l'histoire de Buzz et Bizz, une abeille et une coccinelle, qui expliquaient les notions de contraire aux enfants. Ensuite, j'ai écrit *Lolo, le bébé manchot*, qui racontait la vie d'un manchot différent des autres. Ce livre n'a pas été publié non plus, mais de cette idée est né *Lolo*, un album illustrant l'histoire d'un petit garçon autiste qui fréquente une garderie. C'était le début de ma collection Au cœur des différences, aux éditions Boomerang. Une collection qui se vend encore et qui compte à ce jour 21 titres.

Cette expérience d'écriture m'avait fait du bien. Au point de pressentir mon futur accouchement sans trop d'angoisse. J'avais donné naissance à mes deux premiers enfants par césarienne, mais pour le troisième, j'hésitais. J'avais une amie, Violaine, dont les souvenirs de ses accouchements étaient si touchants que j'avais soudainement envie de tenter d'accoucher de façon naturelle, moi aussi. Sincèrement, une fois le travail commencé, je me suis demandé ce qui m'était passé par la tête de vouloir tenter de nouveau cette expérience terrifiante... Violaine et Patrice sont demeurés à mes côtés tout le long.

Après environ 14 heures de labeur, j'ai donné naissance à une belle fille, Marie. Le repas qu'on m'a servi peu de temps après l'accouchement me paraissait être le meilleur repas de ma vie. Pourtant, personne ne se pâme devant les plateaux de cafétéria d'hôpital. Ç'a été ma seule fois, d'ailleurs.

Entre bébé et boulot

Marie pleurait énormément. La seule chose qui la calmait était l'allaitement ou les mouvements de mon corps quand je marchais en la tenant dans mes bras, jusqu'à ce qu'elle s'endorme. Moi, je ne dormais pas. Alors je mangeais, tiens !

Je me sentais déroutée : Marie était complètement différente de nos deux autres enfants. En fait, je n'avais jamais connu de bébé comme elle. J'ai le souvenir de discuter au téléphone avec une amie tout en jouant par terre avec Marie. Et soudainement, voilà que ma petite fille de deux mois et demi s'était retournée toute seule sur le ventre ! Puis sur le dos ! Puis encore sur le ventre !

Je venais de découvrir le sens du mot précoce. À 2 ans, Marie jouait seule à l'ordinateur ; à 3 ans, elle défiait son frère et Patrice à Risk, un jeu stratégique. J'avais peine à la suivre !

Quand Marie est née, j'occupais un emploi depuis environ deux ans au Carrefour familial du Richelieu. Je suis donc retournée au boulot, mon bébé sous le bras. J'animais avec elle des ateliers de stimulation précoce, et je créais mes ateliers à l'ordinateur tout en allaitant. C'était très exigeant de travailler avec un enfant ; or, mes collègues ont été fantastiques. Violaine et moi formions une belle équipe : nous étions complémentaires et le résultat était grandiose. Notre relation, autant amicale que professionnelle, était basée sur l'authenticité. Notre façon de créer des projets, des conférences, voire des bricolages était si symbiotique que lorsque nous avions terminé, nous ne pouvions pas déterminer qui avait eu l'idée de départ. Nous ne recherchions pas la reconnaissance individuelle, mais la richesse de la création à deux.

C'est mon amie Violaine qui a été ma plus grande confidente en ce qui a trait à mon problème de poids. Même si sa réalité était loin de la mienne, elle était attentive à ma souffrance. Je me souviens, entre autres, être assise à ses côtés, dans la voiture, alors que je pleurais à gros sanglots à la suite d'un épisode d'hyperphagie. Elle a pleuré à son tour. Et c'est à ce moment qu'elle m'a dit que si je commençais à manger de façon compulsive au bureau, elle interviendrait et m'aiderait à réfréner mes pulsions.

Elle a tenu sa promesse.

Enfin, j'avais du soutien.

Et de quatre !

Marie avait un an quand je suis retombée enceinte. J'étais loin d'avoir perdu tout le poids que j'avais pris durant ma grossesse précédente. Je n'avais pas vraiment eu le temps de m'acheter d'autres vêtements : je portais encore ceux que j'avais acquis quand j'étais enceinte de Marie. J'étais déprimée par mon poids, mais j'étais bien entourée. Je travaillais beaucoup au Carrefour familial du Richelieu, où nous mettions sur pied de nouveaux programmes pour les familles. Nous devions fabriquer tout le matériel nécessaire pour les activités. Durant cette période de ma vie, j'étais heureuse : j'avais des amies, un travail que j'aimais, Gabrielle et Étienne fréquentaient l'école et tout se passait très bien. J'avais enfin l'impression de voir un peu de lumière au bout du tunnel.

Laurent est né un mois plus tôt que prévu. Il ne pesait que 6 livres, mais l'accouchement n'a pas été facile pour autant. Heureusement, Patrice et Violaine étaient encore là pour m'épauler. L'allaitement n'a pas été facile non plus. Laurent avait la bouche trop petite pour bien prendre le sein. J'ai donc commencé à l'allaiter réellement quand il a eu deux mois. Gourmande depuis toujours, je savais que l'allaitement ne faisait qu'amplifier ce besoin de me nourrir et de boire. Je n'allais jamais m'en sortir. J'avais toujours faim. Le médecin m'avait dit de prendre soin de Laurent, qu'on s'occuperait de mon poids plus tard.

Je me retrouvais à la maison avec quatre enfants et des journées terriblement longues. Encore une fois, je souffrais du manque de sommeil, car je passais une partie de mes nuits à allaiter. Pour demeurer éveillée, je me nourrissais de chocolat et de biscuits.

Après mon quatrième enfant, j'ai fait deux fausses couches. J'étais fatiguée. Même si mon mari et moi voulions six enfants, maintenant que j'en avais plein les bras, je trouvais que quatre rejetons, c'était suffisant.

Nous avons pris la décision de mettre fin à la reproduction.

CHAPITRE 3
Mon père

Je suis née à Verdun. Après ma naissance, mes parents ont habité chez mes grands-parents maternels pendant près d'un an et demi. Ensuite, nous avons déménagé à Saint-Hubert, sur la rive sud de Montréal, et nous y avons habité jusqu'à ma première année d'école. C'est à cette demeure que mes parents avaient aménagé une patinoire à côté de la maison. J'ai quelques souvenirs de mon père de quand j'étais très jeune. Il aimait beaucoup jouer avec moi dans la piscine. Il m'a appris à plonger. Il me bricolait souvent des jouets. Il était très manuel et très bon en dessin, un talent que j'ai sans doute hérité de lui. J'ai aussi hérité de lui son obsession pour la nourriture.

Mon père n'était pas scolarisé; je crois qu'il a terminé sa troisième année du primaire, au plus la quatrième. Ma mère, quant à elle, avait poursuivi ses études jusqu'au secondaire. Mes deux parents venaient de milieux ouvriers, Saint-Henri et Verdun, qui figurent parmi les quartiers les moins chics de Montréal. Je me souviens qu'on faisait des concours d'écriture, mon père et moi, et que je gagnais à tout coup. Ma plume, c'est donc de ma mère que je la tiens; ma mère a toujours bien écrit, et c'était assez difficile de la battre dans les dictées.

Ma mère était ménagère, comme on disait à l'époque. Elle était maman à la maison. Je voyais beaucoup moins souvent mon père, qui occupait deux emplois. J'avais environ 5 ans, ma sœur venait de naître, et mon père rentrait souvent tard le soir. Je me souviens des disputes, d'entendre ma mère pleurer la nuit. Puis, lorsque j'ai eu 9 ans, mes parents se sont séparés et mon père a disparu pour éviter de payer la pension alimentaire. Décision qu'il a amèrement regrettée par la suite. C'est moi qui ai fait les démarches pour le retrouver. Je suis allée voir ma grand-mère, Irène, et je lui ai demandé si elle pouvait le joindre pour moi. Elle a pleuré et lui a téléphoné. Quand nous nous sommes retrouvés, j'avais 18 ans.

D'abandon à abondance

Les premiers contacts ont été difficiles. Je crois que mon père essayait de rattraper les neuf ans d'absence en me téléphonant une dizaine de fois par jour. J'étais en train de faire une surdose d'envahissement paternel. J'ai pris une pause. On ne pouvait pas sortir une enfant de la famine en la nourrissant avec dix repas par jour sans risquer de la tuer. Un trait d'union essentiel à la continuité de notre relation s'est installé. Des mots devaient être dits et entendus, des mots ont été dits et entendus. Je lui ai pardonné d'avoir disparu, chose qu'il ne s'est pas permis. Même si je lui avais pardonné, j'étais tout de même encore souffrante et amère. Je pensais que je n'avais pas eu suffisamment de valeur à ses yeux pour qu'il assume ses responsabilités de père. Que je n'avais pas été assez aimable pour qu'il juge primordial de m'élever, de rester auprès de moi et de ma sœur. Que je n'étais pas assez importante pour lui. Oh, je sais bien maintenant que tout n'est pas noir ou blanc. N'empêche, son absence avait laissé un énorme vide dans ma vie.

Était-ce ça, le vide que j'ai toujours ressenti ? Ce mal-être comme un puits sans fond que j'essayais de combler en mangeant ? Et lui, qu'est-ce qui l'a poussé à manger autant ? Le même besoin de remplir un gouffre au fond de lui-même, un gouffre qui s'est creusé lorsqu'il nous a quittées ?

Plutôt que de m'écraser, je me suis mise à me réconforter. Tout d'abord en mangeant mes émotions, mais aussi en me vouant une grande estime. Je, me, moi : je prenais désormais toute la place. Je parlais de moi, surtout de moi. J'écoutais les autres, mais surtout pour pouvoir ensuite parler de moi. Je développais un gros ego. J'allais prouver à la Terre entière que j'existais et que j'avais de la valeur. Mon père m'avait abandonnée, mais moi, j'allais escalader des montagnes. J'avais confiance en moi. Je me forgeais une carapace.

À sa façon, mon père s'est repris avec mes enfants. Il venait chaque semaine, toujours à l'improviste et… ça me faisait vraiment plaisir. Il nous surprenait au naturel, moi pas coiffée, la maison un peu bordélique et les enfants courant en couche. Parce qu'aussitôt que je les habillais, ils enlevaient leurs vêtements. Je ne sentais aucun jugement. Il était simplement heureux de me rendre visite et, s'il le faisait, ce n'était pas pour voir une maison ordonnée, mais pour rencontrer ceux qui y vivaient. Il trouvait ça extraordinaire que j'aie quatre enfants. Sa deuxième femme l'accompagnait et elle s'amusait avec mes petits autant que lui. Pendant le temps des Fêtes, il amenait un père Noël avec lui et des cassettes de chansons. Il adorait les enfants. Leur relation était unique : il leur téléphonait chaque jour pour leur raconter des blagues, que les enfants s'amusaient à me raconter à mon retour du travail. Et s'il arrivait que les enfants ne répondent pas au téléphone, il me contactait au travail pour me demander si tout allait bien. C'était sa manière de prendre soin de nous. J'étais heureuse que mes enfants vivent cette relation de proximité avec leur grand-père.

L'absence de mon père durant mon enfance avait mis de la pression sur mon couple, d'une façon tout à fait irrationnelle et imprévue.

Je n'acceptais pas que Patrice prenne du temps pour lui, qu'il préfère jouer au hockey avec sa bande d'amis plutôt que de passer ses soirées avec moi et les enfants. Ça me mettait dans une rage folle. Avec le recul, j'ai pris conscience que j'avais peur qu'il ne revienne pas.

Du jour au lendemain, mon père était parti, il avait quitté ma vie. Du jour au lendemain, mon mari pouvait partir et ne plus revenir, lui aussi. Ma réaction n'était pas liée à ma réalité du moment, mais plutôt à mes expériences passées. Ça m'a pris des années à reconnaître ça. Quand je l'ai fait, j'ai enfin pu maîtriser mes réactions. Mes crises de rage se sont transformées en bouderie, puis en indifférence. Finalement, après seize ans de vie commune, j'ai pu lui souhaiter une bonne soirée quand il sortait.

Patrice a dû faire preuve d'une patience incroyable pour me supporter. Et c'est lui qui m'a appris à prendre du temps pour moi, pour mon bien-être. Quelle belle leçon de vie ! Quel véritable amour ! Chaque fois qu'on se disputait, j'étais prête à divorcer. Mais c'était la réalité que j'avais connue. Je ne croyais pas au mariage. Quand j'étais petite, des disputes d'adultes s'étaient soldées en un divorce ; j'en étais venue à la conclusion que la vie à deux était vouée à l'échec. Heureusement pour nous deux, Patrice avait vécu dans une famille unie. Alors lui, il croyait à notre relation. J'ai fini par y croire, moi aussi. Sans tenir notre relation pour acquise, nous marchions côte à côte après avoir traversé de nombreuses épreuves, et nous continuions à avancer dans la même direction. J'aime Patrice profondément, et de plus en plus.

À l'aide !

Tout comme moi, mon père souffrait de crises d'hyperphagie. Il se réveillait la nuit et pouvait vider son garde-manger avant d'aller se recoucher. Il pouvait manger deux litres de crème glacée et un paquet complet de biscuits en une seule nuit. Il était vraiment dépendant de la nourriture, et sa drogue, c'était la crème glacée. Inévitablement, le lendemain, il était pris de remords. J'aurais voulu aller chez lui pour l'aider en cadenassant ses armoires, mais je me sentais impuissante. Comment pouvais-je aider mon père alors que je n'avais pas réussi à m'en sortir moi-même ? Je ne pouvais pas quitter ma famille et aller vivre chez lui, quand même ! Sa femme s'occupait déjà bien de lui, même si elle devait se sentir impuissante, elle aussi. Je n'aurais pas su faire mieux. Mais comme je souffrais de la même affection, j'aurais aimé en faire davantage pour l'aider. J'avais le goût de pleurer lorsque sa voix se brisait, quand il me racontait avoir mangé 24 petits yogourts plutôt que de la crème glacée, parce que, au moins, « c'était plus santé ». Vingt-quatre !

Alors il se mettait au régime et ne mangeait que de la soupe. J'avais beau lui dire que ça ne pouvait pas fonctionner, qu'il allait finir par craquer, il ne savait pas comment s'y prendre pour perdre du poids autrement, d'une façon saine. Et moi, que pouvais-je faire ? Je n'avais pas la formule magique non plus. Je savais seulement que ce n'était sûrement pas les régimes qui allaient changer sa vie.

Sur les photos de jeunesse de mes parents, le corps de mon père est musclé. Il aimait beaucoup marcher sur ses mains et faire des cabrioles. Il montait d'ailleurs les escaliers en se tenant sur les mains. Il était fort en gymnastique. Il adorait aussi la lutte et la boxe. On regardait la lutte ensemble, la fin de semaine. Je me souviens notamment de ses rires quand il voyait mon visage effrayé devant ces hommes qui étaient projetés par-dessus les câbles de l'arène. Mon père me disait que c'était du théâtre. Moi, j'avais mal pour eux. Plus jeune, il allait voir les spectacles de boxe qui avaient lieu au deuxième étage de la caserne de pompiers de Saint-Henri. C'était l'une de ses sorties préférées.

C'est sûrement aussi de lui que je tiens mon amour des animaux. Sa mère disait qu'il avait longtemps caché des dizaines d'animaux errants et blessés dans le hangar familial, pour les nourrir et les soigner. Mon père était un excessif, tout comme je le suis. J'ai déjà eu cinq chats, deux chiens, deux lapins, un rat et un poisson en même temps. Et un mari qui m'aimait inconditionnellement, mais qui était un peu découragé en constatant que notre maison s'était transformée en ménagerie. Quand je délaissais les excès de bouffe, je les compensais par l'achat d'animaux. Mais on sait que je tenais ça de mon père.

Après son mariage avec ma mère, mon père a commencé à prendre du poids. Sur les photographies, je peux voir qu'il avait grossi, mais rien de dramatique. Je crois vraiment qu'un facteur important de sa prise de poids a été la séparation et la décision de fuir pour ne pas avoir à négocier la pension. Ensuite, il y a eu bien sûr son invalidité, causée par des problèmes de santé. Mon père veillait à l'entretien d'un établissement. Des rénovations avaient été entreprises et des murs contenant de l'amiante avaient été remplacés sans que les employés n'aient été protégés. Mon père faisait partie de l'équipe qui a ramassé les débris et la poussière, sans être au courant des risques qu'il courait. Rapidement, il a eu de sérieux problèmes aux poumons.

Il a donc reçu une indemnité d'invalidité. Ç'a été le coup de grâce ! Le fait de ne plus pouvoir travailler et de rester chez lui devant la télévision a eu un effet très néfaste : il a commencé à prendre du poids de façon immodérée.

Il était pris dans un cercle vicieux. Plus il restait devant la télévision, plus il mangeait. Et plus il mangeait, moins il pouvait bouger.

Avec du recul, je pense qu'il aurait dû recourir à des services d'aide dans un établissement fermé. Une sorte de cure de désintoxication qui aurait pu lui permettre d'allonger sa vie. Je sais que ça existe, maintenant.

On ne voit pas la consommation compulsive de nourriture comme une véritable maladie. Le *DSM-V*[1] vient à peine de l'ajouter dans ses pages. Bien des gens ont de la difficulté à comprendre ce que l'on peut vivre quand on parle d'une perte de contrôle vis-à-vis des aliments. Les gens ont plus de compassion pour les personnes qui consomment des drogues ou de l'alcool que pour celles qui s'empiffrent de sucre à la crème ou de gâteaux de fête. Pourtant, les effets

---

1 *Diagnostic and Statistical Manual of Mental Disorders*, cinquième édition (2013).

sont semblables : les gens en privation souffrent d'un manque et sont prêts à tout pour combler leurs pulsions. Quand je disais à mon père qu'il devrait peut-être installer des cadenas sur ses armoires, je ne blaguais pas. Et lui non plus, quand il me répondait qu'il démolirait la cuisine pour avoir accès au contenu du garde-manger.

Le mieux, ç'aurait été qu'il n'achète pas d'aliments néfastes pour sa santé. Mais il faut se nourrir, dans la vie ! C'est inévitable ! Alors même si l'on décide de ne pas mettre de sacs de croustilles dans son panier d'épicerie et d'acheter plutôt du bon fromage et des craquelins, une fois que les aliments sont dans la maison et qu'on est en crise, RIEN ne peut nous empêcher de TOUT manger. Mon père bâtissait des montagnes composées de craquelins et de fromage. Il pouvait manger une rondelle de brie en entier dans un après-midi, juste avant de souper. Il devait manger environ 6000 calories par jour, alors qu'il aurait dû en consommer environ 2500.

En mangeant quotidiennement 3500 calories de plus que ce qu'il avait dépensé en énergie, mon père gagnait près d'une livre par jour. C'était tout simplement catastrophique !

Par moments, quand le printemps arrivait et qu'il enfourchait son vélo, il perdait un peu de poids. Je gagnais alors un peu d'espoir. Il faisait de longues randonnées et ça lui faisait du bien. Ça me faisait aussi du bien, comme si nous étions liés par ce problème. Peut-être aurais-je dû lui offrir un vélo stationnaire ? Ça aurait pu lui être profitable. Ah ! On peut bien équiper son père de différents appareils d'entraînement, voire lui offrir un abonnement au gym, on ne peut quand même pas le forcer à quitter son canapé. Quelque part, il faut que ça vienne de soi.

Il avait passé la barre des 300 livres. Je sentais qu'il avait abandonné tout espoir de retrouver un poids normal. Rebrousser chemin devait lui paraître impossible. L'effort psychologique requis pour accomplir le travail physique nécessaire devenait inimaginable.

De mal en pis

Mon père avait déjà été hospitalisé pour ses problèmes pulmonaires. Il était étonné qu'on lui offre autant de nourriture qu'il le demandait, parfois même un second plateau-repas complet. Il me disait : « Comment se fait-il que la nutritionniste de l'hôpital ne me rencontre pas pour une évaluation ? » Mon père avait perdu le contrôle. Il aurait souhaité que quelqu'un d'autre prenne la responsabilité de lui venir en aide. Mais dans le monde où l'on vit, on accepte la liberté des choix de chacun. On se dit que si le patient veut deux repas, eh bien, on va lui en apporter deux. Est-ce mal ou est-ce bien ? Je crois que ça dépend de l'angle dans lequel on se place pour évaluer la question. Je suis la première à respecter ce que la personne décide pour elle-même. Je considère le choix comme une liberté et c'est l'une de mes valeurs fondamentales. Ce que j'essayais de faire comprendre à mon père, c'est qu'il fallait que ça vienne de lui. « As-tu vraiment besoin de la nutritionniste pour te dire que deux repas, c'est trop, et qu'avec trois desserts, tu pousses ta chance ? Pourquoi coches-tu deux repas et trois desserts sur ton menu ? Elle n'est déjà pas mangeable, la bouffe de cette cafétéria ! »

On rigolait, mais c'était dramatique. La nutritionniste était-elle responsable de sonner la cloche d'alarme ? Peut-être, mais au fond, mon père était conscient de ses choix. Toutefois, je crois qu'il aurait accepté de faire une cure fermée pour perdre du poids. Il en a d'ailleurs fait la demande à son médecin… qui a refusé, prétextant que l'organisme de mon père était trop affecté par ses problèmes pulmonaires pour subir ce genre de traitement radical.

N'empêche que tout cela m'a fait réfléchir. Plus j'avance dans mon chemine-ment, plus j'ai l'impression que certaines personnes aux prises avec de tels problèmes d'hyperphagie, au point de souffrir d'obésité morbide (comme mon père), devraient être encadrées. Leur vie est en jeu.

Notre point commun, à mon père et moi, était de savoir que l'on avait un problème de consommation excessive de nourriture, mais de ne pas savoir par où commencer pour le régler. Nous avions essayé de modifier nos habitudes par de petites tentatives d'exercices physiques (lui le vélo, moi le patin), mais nous avons éprouvé un sentiment d'échec devant le manque de résultats encourageants.

On a tout abandonné sans même réaliser qu'on était en pleine progression et qu'on n'avait pas encore atteint notre but.

Je me souviens d'une sortie au restaurant où l'hôtesse nous avait attribué une banquette. L'espace entre la banquette et la table était insuffisant pour que mon père puisse s'y faufiler. Il a donc demandé d'avoir une autre table. L'hôtesse a grimacé, et sans aucune compassion, nous a dit qu'il n'y avait aucune table de libre. Je voulais partir ; mais pas lui. Je le voyais littérale-ment étouffer devant moi, le ventre coincé par le plateau de la table. Comme j'avais de la difficulté à apprécier le repas, on a mangé en vitesse et on est partis. J'étais malheureuse. Il m'a dit de ne pas m'en faire, qu'il était habitué à ce genre de situation. Vraiment ? Est-ce qu'on s'habitue aux gens qui nous méprisent ou qui rient de nous à cause de notre différence ?

Si mon père ne veillait pas sur sa propre santé, il veillait sur la mienne en revanche. Il m'avait mise en garde contre l'alcool. Il voyait que j'aimais beaucoup le vin et m'avait dit que je devrais m'en méfier. Que l'alcool apporte souvent un lot de problèmes supplémentaires et que, si je pouvais éviter ça, c'était bien. Il avait beaucoup consommé d'alcool dans sa jeunesse, surtout pour surmonter son problème de timidité. Mais cet abus d'alcool avait créé des problèmes dans sa relation avec ma mère, et dans sa vie en général. À ce moment-là, je ne voulais rien entendre. Il avait eu des problèmes, certes, mais moi, j'étais heureuse de boire du vin et je n'allais certainement pas m'arrêter, car ça me faisait du bien.

Ses conseils, il me les donnait avec prudence, en marchant sur des œufs. Pour l'alcool, passe encore, il avait de l'expérience en la matière. Or, un jour, il avait eu la sagesse de me dire qu'il ne critiquerait jamais ma façon d'élever mes enfants puisqu'il n'avait pas su élever les siens. Je lui en ai été reconnaissante, car s'il avait osé y faire la moindre allusion, je ne me serais pas gênée pour lui dire qu'il m'avait abandonnée. Et vlan ! J'avais beau lui avoir pardonné son absence, j'en étais quand même blessée à tout jamais.

Mourir d'obésité morbide

Au cours des derniers mois de sa vie, les pieds de mon père étaient si enflés qu'il devait porter des sandales en tout temps, même en hiver. Il disait que c'était la seule chose qu'il pouvait tolérer. Mais c'était aussi la seule chose qu'il pouvait enfiler sans être obligé de se pencher. Mettre ses bas était un défi : il touchait à peine le bout de ses orteils. Avec son excès de poids, tout était compliqué. Il était devenu invalide.

Le seul endroit où il se sentait bien, c'était dans la piscine, l'été. Il pouvait enfin se mouvoir plus librement, jouant longuement avec les enfants. Je crois qu'il retrouvait une certaine liberté dans cette légèreté. Je riais, je le sentais heureux.

Il est parti très vite, trop vite. Je savais qu'il n'allait pas vivre très vieux, c'était écrit dans le ciel. Il est décédé à 63 ans ; il pesait 360 livres et il ne mesurait que 5 pieds 2 pouces, comme moi. Le salon funéraire a facturé des frais supplémentaires pour la crémation. Mon père ne rentrait pas dans une boîte standard.

J'ai écrit un poème en hommage à mon père, peu de temps après son décès.

Au revoir, papa !

Chaque nuit, en silence, tu souffrais.
À la cuisine, tu t'en allais,
T'avalais tout ce que tu pouvais.
Mais ce n'était jamais assez pour oublier le passé.

Tes remords, tu les mangeais,
Tu croquais dedans.
C'était soulageant pour un instant.
De plus en plus lourd,
De plus en plus gros,
T'avais le cœur gros.

Ce n'est pas que tu ne savais pas...
Ce n'est pas que tu n'essayais pas...
Ce n'est pas que tu ne voulais pas...
Mais c'était plus fort que toi...
Y'a des combats comme ça, des fois...

Au fond de toi, le vide se creusait.
Comme de l'acide, ça te grugeait.
Si seulement t'avais pu...
Si seulement t'étais resté...

Si seulement tu pouvais rembobiner et
tout recommencer.

Tes remords, tu les mangeais,
Tu croquais dedans.
C'était soulageant pour un instant.
De plus en plus lourd,
De plus en plus gros,
T'avais le cœur gros.

Ce n'est pas que tu ne savais pas…
Ce n'est pas que tu n'essayais pas…
Ce n'est pas que tu ne voulais pas…
Mais c'était plus fort que toi…

Y'a des combats comme ça, des fois…
T'as essayé de réparer
Tes erreurs du passé.
Mais les chats échaudés,
Ne se sont pas laissé flatter.
Ils se sont virés, ils t'ont griffé.

Et c'est là que t'as compris,
Que tout était fini.
Que des enfants que t'abandonnes,
Ça mord et ça remord.
Que tous les coups de téléphone
Ne changeraient rien jusqu'à ta mort.

Tes remords, tu les mangeais,
Tu croquais dedans !
C'était soulageant, mais ça n'a pas duré
longtemps.
De plus en plus lourd,
De plus en plus gros,
C'est moi qui avais le cœur gros.

À l'hôpital, ça m'a fait mal,
En entendant tes derniers mots…
« J'veux un gâteau ! »

Au revoir, papa…
Je t'aimais… je t'aime bien gros.

Ce poème résumait bien mes émotions découlant de cette vie chaotique, de cette douleur qui nous habitait, de ce gouffre qui nous aspirait. En fait, les derniers mots de mon père, alors qu'il était paniqué en raison de la douleur qui le torturait, ont été : « Brigitte ! Brigitte ! Fais quelque chose, il faut que j'aille à la toilette ! Non ! Brigitte ! Je t'en prie ! Je veux un Coke !!! »

Et quelques secondes plus tard, il entrait dans un coma duquel il n'est jamais sorti. J'ai utilisé le mot « gâteau » dans mon poème parce que ça rimait, mais aussi parce que ça correspondait au besoin de sucre que mon père avait éprouvé toute sa vie, jusque sur son lit de mort.

Vous vous imaginez la douleur d'entendre « Je veux un Coke ! » au lieu de « Je t'aime, ma fille » ?

CHAPITRE 4
L'hébergement de grand-maman

Gabrielle n'avait que quelques mois lorsque nous avons pris la décision d'accueillir la grand-mère de mon mari, Lucienne, sous notre toit. Elle avait toujours vécu à Montréal ; nous venions tout juste d'emménager dans notre nouvelle maison à Richelieu, en face de Chambly, en Montérégie. À ce moment-là, je n'avais aucune idée de ce qu'était une « aidante naturelle » ni ce que cela impliquait en matière de responsabilité et d'implication. Dans cette expression, aider semble si « naturel ».

Le garde-manger allait être mon allié pour survivre.

Lucienne

Le mari de la grand-mère de Patrice était de plus en plus malade. Elle aimait le décrire comme le « malade mental verbal ». Moi, je l'avais toujours trouvé cochon, violent et contrôlant. À plusieurs reprises, j'avais dû esquiver ses manœuvres alors qu'il tentait de m'embrasser avec la langue lors des réunions de famille ; il avait même déjà essayé de me tâter, dans ma propre maison, avant que je ne le repousse. Je n'ai jamais, mais jamais toléré qu'on s'en prenne à plus faible que soi, alors qu'il use de violence physique et psychologique envers sa pauvre femme a fait remonter Super Brigitte à la surface, comme à l'époque de l'école secondaire. Un jour, Lucienne m'avait téléphoné à la maison.

— Brigitte !

— Madame Poirier ! Ça va bien ?

— Non ! Mon mari, y'est parti, pis j'ai rien à manger.

— Ben voyons ! Il est parti où ?

— Je sais pas. Ç'a pas d'allure, j'peux plus rester ici. Y devient fou ! Y m'fait peur !

— OK ! OK ! Voulez-vous que j'aille vous chercher ?

— Si ça ne dérange pas…

Je ne savais pas si ça me dérangeait ou non, mais pour l'instant, c'était la seule option que je pouvais envisager.

Lucienne m'avait dit que son mari était sorti en apportant les clés. « Il devient fou ! »avait-elle répété. « Il l'a toujours été ! » avais-je pensé. Quand Patrice est revenu du boulot, on n'a fait ni une ni deux. J'ai installé Gabrielle dans son siège d'auto et nous avons filé en direction de Montréal. Arrivés au logement des grands-parents de Patrice, on entendait le vieux crier :

— Charogne ! CHAROGNE !!!

Je l'ai saisi par le collet de sa chemise et je l'ai assis sur une chaise. Je pense même que je l'ai menacé de le passer à travers la fenêtre s'il faisait le moindre mouvement. Je voyais rouge. Patrice a attrapé la valise, j'ai guidé Lucienne vers notre voiture, et nous sommes retournés chez nous. Arrivée à la maison, je tremblais. J'ai sûrement mangé cinq des six petits gâteaux qui se trouvaient dans l'armoire. Peu importe si je vivais une émotion joyeuse ou dramatique, ça déclenchait la même sensation de vide à l'intérieur de moi, qu'il fallait que je remplisse immédiatement. Et un vide sidéral au fond de moi-même, dans mon esprit, ça ne se comble pas avec de l'air, mais avec de la nourriture.

Avant, j'aurais dit que les émotions me donnaient faim ; maintenant que je suis beaucoup plus à l'écoute de mon corps, je sais que ce n'est pas de la faim que je ressentais. C'était une absence totale de bien-être. Ça m'aura pris une trentaine d'années pour m'en rendre compte.

Mon bébé avait quatre mois. J'étais déjà fatiguée de mes nuits sans sommeil et là, je venais d'accueillir chez moi une personne âgée que je connaissais très peu. Je l'ai installée le plus confortablement possible dans la chambre d'amis, au sous-sol.

— Je peux coucher n'importe où, m'avait dit Lucienne. Je ne veux pas prendre de place. Je peux même dormir par terre… je suis habituée, tu sais. Des fois, mon mari ne voulait pas que je dorme dans le lit, pis il disait que le sofa, c'était à lui… ça fait que je dormais sur le tapis de l'entrée.

Simonac! La déprime venait de rentrer dans la cabane. Quoi dire après ça? Je ne pensais pas qu'elle était si maltraitée. Comment pouvait-on ne pas avoir vu ça?

Mamie à domicile

J'ai décidé de m'occuper de Lucienne. Ça faisait huit ans qu'elle ne s'était pas habillée avec autre chose que des jaquettes! Elle mangeait à peine. Elle ne se coiffait pas. Et le reste de son hygiène… Ah!

Advienne que pourra, j'allais tenter de changer ça.

Je l'ai emmenée magasiner. Elle agissait comme une petite fille dans un magasin de jouets, elle qui avait été enfermée si longtemps dans son logement. Elle a choisi des vêtements et, chaque jour, je l'aidais à se coiffer. De temps en temps, on sortait au restaurant. J'ai aussi pris la responsabilité de veiller sur son hygiène. C'était des moments intimes qui nous ont rapprochées. Je n'étais pas très à l'aise de la laver, et elle n'était pas très à l'aise de se faire laver. Une fois la gêne passée, on a bien rigolé.

Tranquillement, nous avons partagé des confidences. Elle me racontait que, quand elle était jeune fille, sa meilleure amie et elle se promenaient dans le quartier et entraient dans les maisons qui affichaient une couronne mortuaire à la porte. Ce signe annonçait que la famille était en deuil. Le corps du défunt se trouvait bien souvent dans le salon et il y avait un buffet à la cuisine. Les filles allaient donc manger des sandwichs chez des gens qu'elles ne connaissaient pas. Drôle de loisir !

Elle ne m'a épargné aucun détail de son histoire. Lucienne avait eu une relation avec un soldat anglais qui s'était soldée par une grossesse. L'homme n'a jamais su que son amoureuse était enceinte de lui, et ils ne se sont jamais revus. Être une fille-mère, à cette époque, était une véritable catastrophe. Lucienne était donc partie de chez elle, sans le dire à ses parents, pour aller travailler auprès des religieuses de l'hôpital et ainsi payer son accouchement, son logis et son couvert. Quelques mois plus tard, elle était revenue chez ses parents, et son père, après la colère d'usage, avait craqué pour le bébé et avait accepté que mère et fille viennent vivre sous le toit familial.

La vie a ensuite mis sur le chemin de Lucienne cet homme violent et manipulateur, qu'elle a fini par épouser. Pour protéger sa petite fille de 5 ans de cet homme jaloux, elle l'avait laissée aux bons soins de ses parents. La petite a grandi, s'est mariée, et Patrice est né.

Lucienne a subi bon nombre d'humiliations à cause de son mari. Ils ont dû déménager souvent, fuyant leur logement à la suite de plaintes de harcèlement sexuel des autres locataires. Elle avait subi les regards des femmes en colère toute sa vie. Elle n'avait jamais trouvé la force de quitter son mari. La peur l'avait paralysée.

L'hébergement de Lucienne devait être temporaire. Nous avions fait des demandes pour un logement dans des résidences pour personnes âgées. Un an plus tard, nous recevions une réponse positive, une place se libérait. Mais

comme la cohabitation se passait somme toute assez bien, nous avons décidé
de garder Lucienne avec nous.

Grand-mère avait pris des forces. Chaque jour, elle allait marcher jusqu'au coin
de la rue. Elle participait à notre vie de famille en accomplissant de petites
tâches, et je pouvais compter sur elle pour garder Gabrielle pendant de courtes
périodes, comme pour aller chercher du lait au dépanneur. Elle avait même
arrêté de fumer de sa propre initiative après que je lui ai confié que j'avais
peur de passer au feu. J'étais fière d'elle.

Le seul point irritant de notre relation, c'est qu'elle continuait d'agir comme si
elle était en visite à la maison ; elle ne prenait aucune initiative et demandait
la permission pour tout. « Est-ce que je peux ranger le lait dans le frigidaire ? »
« Est-ce que tu veux que j'essuie la vaisselle ? » « Est-ce que je peux prendre
du Saran Wrap pour envelopper le restant de concombre ? » « Est-ce que je
peux changer le rouleau de papier de toilette ? » Au départ, je trouvais cette
délicatesse adorable, mais cette façon de toujours demander les choses
n'allégeait pas mes journées.

Malgré tout, nous avons eu de belles années tous ensemble. Gabrielle et
Étienne ont été très proches de leur arrière-grand-mère. Elle s'était même
acheté un grand lit pour dormir avec eux.

Bref, la présence de Lucienne et son amour pour les enfants nous ont permis,
à Patrice et moi, de vivre de beaux moments de couple. Nous pouvions sortir
le soir alors que les enfants dormaient, nous avions cette liberté d'avoir une
gardienne à domicile. Bien entendu, je ne lui laissais pas les enfants dans la
journée, sauf le temps de faire de petites courses : j'étais bien consciente que
ç'aurait été une charge trop lourde pour elle.

Quand l'inspiration revient...

Je n'avais plus dessiné depuis mes études universitaires, qui remontaient à plus de six ans. J'avais conservé un bon nombre de dessins et de travaux d'école d'assez bonne qualité pour les vendre à l'encan et remettre les profits à un organisme communautaire.

Au cours de ma troisième grossesse, le goût du dessin m'est revenu, mais je n'avais pas de place pour déballer mon matériel d'artiste. Notre petite maison de trois chambres à coucher hébergeait sept personnes. Pour aménager un atelier bien à moi, j'ai dû faire preuve de beaucoup de créativité. D'abord, j'ai eu l'idée d'utiliser des aimants pour fixer de grandes feuilles sur la porte du frigo. J'allais pouvoir créer à n'importe quel moment de la journée et je n'aurais pas besoin de ranger mon matériel à tout bout de champ. Mais dessiner à la verticale n'était pas toujours confortable.

J'ai donc aménagé un atelier... dans la salle de bains ! J'ai suspendu une table à dessin devant la cuvette et, une fois assise, je fixais le panneau avec un crochet ancré sur le mur opposé au lavabo. Puisque toutes les pièces étaient prises, j'allais me faire un petit coin au petit coin ! Je pouvais y peindre et y dessiner à ma guise durant la sieste des enfants. Et ça fonctionnait ! Après avoir vendu mes œuvres à l'encan, quand on me demandait la permission de visiter mon atelier, je refusais avec politesse en expliquant qu'il était trop modeste !

Néanmoins, ç'a été le début d'une affirmation de soi. J'avais besoin de temps pour moi, d'un espace qui m'appartenait. J'existais ! J'aurais pu facilement me dire que, si j'avais un bel atelier, je pourrais dessiner, je pourrais écrire. Mais je suis de ces personnes qui savent que la vraie motivation ne dépend pas des circonstances extérieures, elle part de l'intérieur de soi. Si je voulais peindre ou écrire, je devais le faire avec les moyens que j'avais.

Et cela vaut aussi pour ma perte de poids ainsi que pour tout ce qui m'est arrivé. Je fonce ! Encore aujourd'hui, je me dis que le pire qui peut m'arriver, c'est d'échouer. Mais, en même temps, échouer me donne l'occasion de recommencer en ayant un avantage, celui de l'apprentissage ou de ce que j'ai acquis dans ma chute et dans ma remise sur pied. Je n'ai plus honte de tomber, je suis plutôt fière de me relever.

Une fin abrupte

Vivre avec une personne âgée n'était pas toujours facile. Lucienne vieillissait, ses plaintes étaient de plus en plus difficiles à supporter. Notre cohabitation s'est terminée abruptement, après 10 ans et quatre enfants.

En 1998, cela faisait plus de six ans que j'étais à la maison à temps complet. Devoir me rendre aux dizaines de rendez-vous avec les spécialistes de Gabrielle relevait de la haute voltige puisque je n'avais pas d'automobile. Je manquais d'énergie pour élever mes trois autres petits, et Lucienne demandait de plus en plus de soins, ayant commencé à être incontinente. J'étais exténuée. Et pour calmer mes frustrations… je mangeais.

Je n'étais pas un bourreau et je ne voulais pas de ce rôle. Je ne savais pas si j'allais tenir le coup encore longtemps, avec Lucienne. Alors, un matin, j'ai eu un trop-plein et je lui ai crié que je n'étais plus capable de l'entendre se plaindre de ses bobos, que moi aussi j'avais des problèmes. Ce n'était pas beau. Et je n'étais certainement pas fière de moi, puisque j'avais toujours exécré la violence et les paroles méchantes. J'ai peu de souvenirs de l'épisode d'hyperphagie qui a suivi : je ne me souviens pas de ce que j'ai avalé, mais j'ai littéralement vidé le garde-manger.

Dans les mois qui ont suivi, Lucienne a refait la demande d'aller vivre dans un petit logement. Ça tombait bien, elle voulait de la tranquillité, et je la comprenais très bien. Et nous, nous avions fait tout ce que nous pouvions pour rendre sa vie plus confortable. Personne n'était à blâmer dans tout ça.

J'amenais les enfants la visiter une ou deux fois par semaine. Une bénévole avec qui elle s'entendait bien l'aidait à faire ses courses. Lucienne recevait l'aide d'une infirmière une fois par semaine pour ses soins d'hygiène. Elle était entourée de beaucoup de gens. Hélas, deux ans plus tard, elle a fait une chute, seule dans son appartement, et n'a pu se relever. Lorsque l'infirmière qui la visitait a fait ouvrir sa porte, on a su que Lucienne gisait par terre depuis 72 heures... Quelle horreur !

Elle n'est jamais sortie du coma ; elle est décédée dans la semaine qui a suivi son accident. Ç'a été des moments difficiles. Je me sentais coupable de ne pas avoir retrouvé le lien de complicité que j'avais développé avec elle, celui qu'on avait tissé au début et qui s'était effiloché avec le temps. Je me disais que si j'avais veillé sur elle, je l'aurais peut-être sauvée. Je portais le poids du blâme. Mais que pouvais-je y faire, maintenant ?

Manger, bien sûr ! Ç'a toujours été ma façon de faire face aux émotions intenses. Aujourd'hui, dans pareilles circonstances, j'irais au gym m'entraîner durement ; mais à ce moment-là, manger était ma panacée.

CHAPITRE 5
L'alcool

J'ai consommé de l'alcool durant environ quatre ans, dont deux ans en quantité plus importante. C'était entre 2009 et 2011. Avant cela, l'alcool n'avait jamais véritablement fait partie de ma vie.

Je venais d'un milieu ouvrier où le vin se résumait à une coupe de Baby Duck à Noël. Et, nous n'avions pas vraiment d'argent, Patrice et moi, pour nous payer de l'alcool, d'autant plus qu'avec quatre enfants, que j'ai tous allaités, ce n'était pas approprié d'en consommer. On se contentait de quelques bières, que l'on prenait dehors, assis sur notre balançoire : c'était suffisant pour nous rendre heureux.

Le vin est arrivé tard dans ma vie. Mais j'ai aimé en boire, et quand j'aime, j'aime avec excès.

Encore aujourd'hui, je suis une personne impulsive et excessive. De la dynamite ! Pour vous donner une idée, jusqu'à ce jour, j'ai écrit cinquante livres pour enfants et adolescents, dont huit romans de plus de deux cents pages, et cinq pièces de théâtre. Excès est mon mot d'ordre dans tous les domaines que j'aime ! Quand j'ai commencé à écrire et à vouloir être publiée, j'envoyais un texte à toutes les maisons d'édition du Québec chaque semaine, et ce, durant plusieurs mois. J'ai même reçu un avis de l'une d'entre elles qui me demandait poliment d'arrêter de la bombarder de textes.

Ah bon ?

Heureusement, j'ai finalement trouvé un éditeur désireux de publier mes livres, qui sont aussi appréciés par les enfants que par leurs parents. Être passionné, c'est aller jusqu'au bout de ses rêves. C'est aussi trouver la motivation nécessaire alors que tout semble jouer contre nous. C'est se dire qu'on a le contrôle sur notre vie. C'est la recette gagnante pour s'accomplir, pour arrêter de boire, pour perdre du poids, pour relever tous les défis, pour gagner notre place au soleil.

Si j'enchaînais les maillons de ma vie, la trajectoire des premiers ne semblerait pas se diriger vers le bonheur.

J'ai vécu dans la pauvreté. De la maternelle à la cinquième secondaire, j'ai fréquenté huit écoles différentes, dans plusieurs villes différentes. Mon père nous a abandonnées alors que j'avais 9 ans. Ma mère nous a élevées seule, ma sœur et moi. Nous avons vécu dans des quartiers défavorisés de Montréal. J'ai subi du harcèlement sexuel. J'ai souffert très tôt de problèmes de poids et d'estime de soi. Ma première fille a eu un diagnostic d'autisme à 28 mois, et le rapport d'évaluation psychanalytique indiquait clairement que c'était de ma faute. Mon mari a eu un cancer alors que nous avions deux enfants en bas âge et une grand-mère à domicile dont il fallait s'occuper...

Eh bien, non. Rien dans mon parcours n'indiquait que ma vie deviendrait positive et enrichissante. Ni que je serais reconnue comme une prolifique auteure jeunesse et qu'on me donnerait une bourse pour assister au Salon du livre de Paris en 2009 !

L'expression artistique a été une bouée de sauvetage pour moi. En extériorisant ma souffrance, je réussissais à m'en détacher. Que ce soit dans mes livres, dans mes pièces de théâtre, dans mes dessins ou dans mes poèmes, j'avais besoin de dire les vraies choses. J'avais besoin de m'exprimer et je savais que, quelque part, cette souffrance allait rencontrer celles des autres. Tout le monde a des démons intérieurs et, même si l'on tente de les enfouir très loin, ils ressortent à la première occasion, au premier signe de vulnérabilité. En couchant mes problèmes sur papier, je pouvais mieux les observer... et parfois même trouver des solutions, juste parce qu'ils étaient désincarnés, qu'ils ne m'appartenaient plus !

J'ai écrit sur l'obésité, sur l'hyperphagie, sur l'intimidation. J'ai dessiné des monstres qui buvaient et qui s'empiffraient. J'ai parlé d'autisme, de schizophrénie, d'anxiété, du syndrome de Gilles de La Tourette, en relevant les forces des personnes touchées par la différence. Au moment d'écrire ces lignes, je fais la même démarche. Je ne me tais plus. Je n'ai plus honte. La honte nous paralyse. Oser s'exprimer et faire face à la réalité, voilà le message que j'ai le goût de transmettre.

> **En écrivant ou en peignant sur les sujets qui me tenaient à cœur, je guérissais lentement.**

Et l'alcool, dans tout ça ?

Quand l'alcool est arrivé dans ma vie, j'avais le goût, moi aussi, de mener une existence agréable, ponctuée de petits bonheurs du quotidien. Dans les téléromans, les femmes buvaient du vin en préparant joyeusement le repas du soir, et tout avait l'air parfait. J'idéalisais beaucoup ce mode de vie.

À cette époque, Patrice et moi pouvions enfin souffler financièrement : il avait trouvé un bon emploi, ce qui nous avait permis d'emménager dans une maison plus spacieuse adaptée à notre grande famille. Tous les lundis, j'allais à la SAQ et j'achetais des bouteilles de vin pour remplir le cellier que mon beau-frère nous avait offert. Je ressentais un sentiment de plénitude, d'abondance et de richesse. À mes yeux, le vin était associé à la vie des gens riches et célèbres. Je n'avais jamais eu d'argent ; ranger ces nombreuses bouteilles me donnait un sentiment de réussite.

> **Je venais d'un quartier défavorisé, et j'avais atteint la classe des plus fortunés, pouvant désormais me payer du bon vin. J'avais même un cellier !**

Les bouteilles de vin représentaient beaucoup plus qu'une simple boisson alcoolisée : elles symbolisaient ma réussite sociale. À ce moment-là, rien n'aurait pu me convaincre d'arrêter d'en consommer. Je me serais battue, les griffes sorties, pour continuer à profiter de ce mode de vie.

J'aimais bien lire des romans comme *Les trois mousquetaires*, d'Alexandre Dumas, une bouteille de rouge à mes côtés. J'avais l'impression de faire partie de l'histoire, avec ces personnages qui aimaient bien le vin, tout comme leur auteur. Peut-être que l'alcool m'aidait à mélanger la réalité et le rêve ? Je m'évadais dans un conte où je devenais l'héroïne.

Le vin était aussi un allié qui m'aidait à aborder un problème à la fois, qui me détendait et me rendait plus zen. J'étais moins négative devant des tâches que j'exécrais, comme celle de cuisiner. J'aimais manger, mais préparer un repas était une corvée. J'allais souvent chercher des repas déjà préparés dans un petit commerce tenu par deux femmes que je connaissais bien. Ça me sauvait la vie. Je revenais à la maison avec plusieurs plats savoureux cuisinés avec amour. Les plats que je cuisinais n'étaient ni savoureux ni exécutés avec amour ; ils étaient plutôt corrects et cuisinés avec impatience et contrariété. Aller faire les courses me pesait aussi ; j'avais réglé le problème en faisant mon épicerie en ligne pendant plus de six mois.

L'alcool me donnait un sentiment de puissance très agréable. Les premiers verres m'enivraient, pas seulement sur le plan physique, mais également psychologique : je me sentais bien. Tout m'apparaissait possible, réalisable. Je pouvais conquérir et refaire le monde ! Moi, Brigitte ! J'avais le goût de parler et de développer des théories. J'appelais mes amies pour discuter de mes réflexions. Elles me trouvaient drôle et se prêtaient volontiers au jeu. C'est vrai que, quand je buvais de l'alcool, j'étais exaltée ! Alors je me resservais un autre verre, puis un autre, histoire de faire durer ce moment de grâce.

Mais, paradoxalement, plus je buvais, plus ce sentiment de bien-être m'échappait, et je voulais le retenir à tout prix. Patrice et les enfants ne me trouvaient pas toujours drôle. Ça me faisait de la peine quand ils me demandaient de me calmer, quand ils prétendaient que j'avais « trop bu ».

Je me souviens d'une discussion avec mon mari, le lendemain d'une soirée où je m'étais couchée très tôt. Rien de nouveau ou de surprenant à cela: je me couche de bonne heure et je me lève aux aurores depuis toujours... Mais après avoir bu du vin, je m'endormais encore plus tôt que d'habitude. Patrice m'a dit qu'il commençait à trouver ma consommation d'alcool difficile à vivre. Il m'a dit que je buvais trop. Trop et trop souvent. En fait, il a dit que nous buvions trop tous les deux, mais je buvais plus que lui. On se chicanait donc davantage, et on discutait moins. C'est vrai que, lorsqu'il arrivait du travail, j'étais souvent déjà au lit, dans un état d'esprit altéré. Pour ne pas dire complètement ivre.

Mais je voyais les choses différemment. Même si l'alcool amplifiait mes émotions et mes sentiments, ça ne changeait pas du tout au tout qui j'étais ! Quand je me sentais bien, détendue et confiante, c'était à l'avantage de tout le monde, non ?

Oui... mais non. Parce que c'était un bonheur artificiel.

Et ça pouvait même être très désagréable. Autant pour Patrice et les enfants que pour moi-même. Si ma consommation m'enlevait mes inhibitions et libérait ma créativité, l'alcool lui-même alimentait ma prise de poids. J'aimais les vins ayant un fort pourcentage d'alcool, qui sont plus caloriques. Chaque verre de vin rouge contenait environ 125 calories, et je n'en prenais jamais qu'un seul. Sans compter le fromage gras que je tartinais sur des craquelins ou des tranches de baguette de pain et qui accompagnaient merveilleusement bien ma bouteille de vin...

Ah ! Si la balance avait pu parler, elle m'aurait dit que le vin me causait plus de tort que de bien !

Le côté obscur de la force

À force de boire du vin, j'étais rendue à me réveiller fréquemment en plein milieu de la nuit. J'avais l'impression d'avoir un trop-plein de sucre, j'étais incapable de me rendormir. Je n'aimais vraiment pas cette sensation. Alors je prenais la résolution d'arrêter de boire. En fait, j'avais honte. En pleine nuit, les remords m'assaillaient. Je discutais avec moi-même et je me convainquais qu'il valait mieux arrêter de consommer de l'alcool. « Demain, promis ! » me disais-je. Dans la nuit, j'étais totalement convaincue de tenir bon et je me rendormais, sûre de moi et fière de la décision que je venais de prendre. Vers midi, le lendemain, j'étais un peu moins convaincue et surtout moins fière. Et quand l'heure de l'apéro arrivait, j'oubliais ce que je m'étais dit la nuit précédente ; je me convainquais du bien-fondé de prendre une petite coupe, repoussant ainsi mon engagement au lendemain, me disant que rien ne pressait et que ce n'était pas une journée de plus qui allait nuire à mon avenir.

Toutes les excuses étaient les bienvenues. Qui est-ce que ça dérangeait, au fond ? J'avais le droit de me faire du bien ! Je le méritais, avec tout ce que je faisais dans une journée ! Tout le monde boit du vin, pourquoi pas moi ? Alors, je descendais à la cave, j'ouvrais la porte de mon cellier et je choisissais une bouteille de rouge, que je sirotais en faisant la cuisine. C'était plus fort que moi. La volonté que j'avais dans la matinée s'envolait en début de soirée. J'avais constaté que je souffrais d'anxiété le soir, donc je buvais pour calmer mes angoisses dès que la noirceur s'installait.

Arrêter pour mieux replonger

Habituellement, quand le temps des Fêtes arrivait, j'arrêtais complètement de consommer de l'alcool. Je trouvais cette force. Je voulais me prouver que je pouvais arrêter. Et, tant qu'à faire, j'arrêtais les desserts en même temps. Pourquoi? Pourquoi arrêter exactement durant la période où les gens se donnent encore plus le droit de boire et de manger avec excès? J'ai fini par trouver la réponse...

J'ai toujours aimé attirer l'attention au moyen de mes prouesses, que ce soit en traversant un lac à la nage ou en grimpant sur une voiture le jour de mon mariage.

Arrêter de boire de l'alcool lorsqu'on est seul chez soi n'a pas un grand impact : pas de public pour admirer notre volonté, pas de reconnaissance. Par contre, déclarer en plein party de Noël qu'on ne boit plus d'alcool pour de bon attire immédiatement les regards sur soi.

J'aimais être le centre de l'attention, je voulais qu'on admire mon courage, ma détermination. Je voulais qu'on m'aime. La petite fille abandonnée voulait qu'on l'aime.

Annoncer à tout le monde qu'on arrête de boire incite certaines personnes à justifier leur propre consommation. J'en ai été témoin à plusieurs reprises.

— Moi, je ne bois que les fins de semaine...

— Moi, je bois seulement à l'occasion...

— Moi, je bois trop. Je devrais boire avec modération !

Même scénario quand je déclarais que je ne mangeais plus de desserts.

— Ah ! Moi aussi, je devrais faire plus attention...

— Moi, j'aimerais ça perdre du poids…

— Moi, j'aimerais ça avoir des abdos !

Pendant ce temps-là, je me nourrissais des compliments de tout le monde : « T'es bonne, Brigitte ! », « Incroyable ! », « C'est super que tu sois capable de t'abstenir, j'aimerais donc ça y arriver moi aussi ! »…

Eh bien, si j'y arrivais à cette période de l'année, c'était parce que j'étais rarement seule à la maison à combattre mes démons. Il y avait toujours de la visite, ou nous étions reçus quelque part : bref, j'étais entourée de personnes aimantes qui m'encourageaient et qui me soutenaient.

Puis la vie reprenait son cours. Certains peuvent penser que je souffrais d'alcoolisme, mais je ne le pense pas. J'avais simplement avec l'alcool le même problème de consommation qu'avec les desserts. Je buvais mes émotions. Je vidais la bouteille dans un temps très court et j'en achetais une autre pour que personne ne s'aperçoive de mon excès. Ensuite, j'avais honte. L'hyperphagie ne caractérise pas que les excès de nourriture. Ceux de boisson, aussi.

Une question de détermination

Ainsi, je buvais avec impulsivité et excès. Mais je ne vais pas me fouetter, car je persiste à croire qu'une faiblesse peut devenir une force : il suffit de l'exploiter.

À travers les brumes de l'alcool se dessinait un chemin qui mènerait à un carrefour, à un changement de direction dans ma vie.

Je me suis questionnée sur mon besoin de boire. Pendant plusieurs mois, je tenais à tout prix à ma bouteille de vin, malgré les effets indésirables qui se manifestaient au beau milieu de la nuit, malgré l'embarras de Patrice et des enfants. J'ai cru que l'alcool me permettait de mieux écrire. C'est vrai qu'il m'enlevait mes inhibitions ; plus aucun sujet n'était tabou. Mais ce n'était pas pour ça que je buvais, car la facilité d'écriture, je l'ai toujours eue en moi. La preuve : même sobre, j'écris autant qu'avant et je ne me sens jamais coincée par mes sujets ! Je suis donc arrivée à la conclusion que je buvais pour me sentir bien.

Il fallait donc que je trouve quelque chose qui m'apporte le même sentiment d'apaisement, sans les côtés obscurs, sans les conséquences néfastes. Je pense que dès que l'on identifie les causes de quelque chose, on a du pouvoir sur le changement.

Or, changer d'habitude prend du temps. Durant environ neuf mois, j'avais l'impression que mes soupers du samedi soir étaient incomplets. Je terminais de cuisiner les repas, insatisfaite. J'avais aussi un deuil à faire. J'aimais vraiment le moment où je choisissais ma bouteille de vin dans mon cellier, celui où je prenais une belle coupe pour me servir, celui où je sirotais de façon décontractée. Mais j'étais aussi vraiment tannée des effets lourds liés à ma surconsommation d'alcool. Quand j'évaluais les coûts et les bénéfices, j'étais réellement déficitaire.

Aujourd'hui, je me félicite d'avoir persévéré. D'avoir décidé de ne plus être celle qui arrive en panique deux minutes avant la fermeture de la SAQ pour acheter une bouteille lui permettant de passer la soirée. De ne plus prévoir ce que je mangerais pour accompagner mon vin. De ne plus choisir un resto en fonction qu'il ait ou non un permis d'alcool. J'ai appris à vaincre ma peur du noir en pratiquant des techniques de relaxation par la respiration, et à apprivoiser l'heure du coucher. Il m'arrive encore d'être parfois anxieuse, mais cet état est beaucoup moins menaçant parce que je me connais mieux. J'imagine le début d'une course : il est désagréable de manquer d'oxygène dans les muscles au début du parcours, mais je sais que, dans quelques minutes, je me sentirai mieux.

Le vin et moi, c'est une histoire d'amour qui a mal fini. Je n'ai pas pris un verre d'alcool depuis trois ans et demi. J'ai quelques bouteilles à la maison pour cuisiner ou pour en offrir à mes invités : je ne vais pas priver tout le monde parce que j'ai décidé d'être sobre !

Je peux affirmer que je n'ai plus aucune attirance pour le vin. J'ai perdu le goût pour ça !

Et les sucreries ?

En marge de mon penchant pour les bouteilles de vin, j'avais développé un réel plaisir à m'acheter des bonbons. Je m'étais procuré de jolies jarres, une douzaine en fait, que j'avais disposées sur le comptoir de la cuisine, comme dans une confiserie.

Je recherchais l'abondance dans ma vie. Je voulais beaucoup et encore plus. Je voulais me remplir.

Or, ces bonbons de toutes les formes et de toutes les couleurs, je ne les mangeais pas : ils étaient là comme parure. J'avais recréé la magie des dépanneurs de mon enfance, avec leurs comptoirs débordants. Je me revoyais, avec la pièce de 25 cents que ma mère m'avait donnée, faire mon choix et ressortir du dépanneur avec mon petit sac en papier bien rempli de framboises, de boules noires, d'outils en chocolat et de gommes Bazooka. Même si nous n'avions pas « grand-chose », ma mère ne m'a jamais privée du plaisir de m'acheter des « bonbons à une cenne ».

Sur le coup, je n'ai pas pris conscience que je causais beaucoup de tort à Patrice, une vraie bibitte à sucre, mais aussi aux enfants, qui avaient hérité de ma dent sucrée. Je ne pensais qu'à mon propre bonheur de pouvoir admirer mon comptoir. J'étais aussi heureuse quand nos invités se pâmaient d'envie devant mes pots de bonbons. Si mon dentiste avait su ! Obsessive et compulsive, la madame !

J'ai finalement cessé de remplir mes belles jarres de bonbons. Une autre compulsion dont je me suis débarrassée ! Désormais, je les utilise pour y mettre des noix, c'est plus sain.

CHAPITRE 6

Prise de conscience

Je n'ai jamais pu résister à l'appel d'une tarte au sucre. La croûte feuilletée qui se brise facilement au premier coup de fourchette, les petits grains de sucre cristallisés sur le dessus qui fondent sur notre langue et qui croquent sous la dent. Le goût doux et soyeux qui descend dans la gorge…

Il m'est déjà arrivé d'engloutir une tarte entière, à 7 h 30 du matin, avant de partir travailler. Je dis entière, mais pas tout à fait : il en manquait déjà une pointe. Eh bien ! Avant de revenir à la maison, ce soir-là, j'avais fait un saut à l'épicerie afin de la remplacer, histoire de camoufler mon larcin. J'ai même poussé le détail en mangeant l'équivalent de la pointe manquante. Chut ! Personne ne devait le savoir !

Perdre le contrôle, c'est horrible. C'est honteux. Je me voyais m'empiffrer debout devant le garde-manger sans être capable de m'arrêter et j'avais pitié de moi. C'était comme si j'étais derrière un miroir sans tain. Je me voyais agir, mais je n'étais pas capable de m'atteindre pour m'arrêter. Pire : j'entendais clairement une voix dans ma tête dire : « Mais arrêtez-la quelqu'un ! » Ce sentiment d'impuissance était destructeur et douloureux. Je savais très bien que mon comportement était inadéquat, et ça me faisait souffrir davantage. Je ne suis pas idiote : je ne m'empiffrais pas pour le plaisir.

Si certaines de mes crises d'hyperphagie étaient facilement explicables, par exemple en raison d'un événement bouleversant survenu dans la journée, d'autres crises, en revanche, me laissaient perplexe. Il fallait alors que je me demande ce qui avait déclenché cet épisode d'hyperphagie et comment je pouvais éviter que ça se reproduise.

Subir le jugement des autres

J'ai énormément senti le jugement des adultes. Ils m'ont jugée dans la rue, au parc, dans les boutiques, à l'épicerie, en voyage, en vacances. Certains n'ont même pas baissé le ton pour être bien certains que je saisisse leur message.

Au cas où je n'avais pas réalisé que je n'avais pas un poids santé…

— Si elle s'aidait, aussi !

— Mon Dieu, elle peut bien être grosse ! As-tu vu ce qu'elle met dans son panier ?

— Méchante paresseuse !

— Bon ! Une autre qui coûte une fortune au système de santé ! Elle fait exprès de courir après les problèmes ! Ah ! Bien, non, c'est trop gros pour courir, ce monde-là !

Comment intervenir de la bonne manière auprès des enfants obèses qui sont victimes d'intimidation si les adultes autour d'eux se permettent de dire des commentaires aussi blessants et aussi désobligeants ? On se plaît à stigmatiser les obèses, à leur apposer une étiquette de paresseux et d'idiots. Comme on met une étiquette à ceux qui souffrent d'anxiété ou de dépression. Notre société préfère que tous les individus adoptent les mêmes comportements et présentent les mêmes caractéristiques ; elle tolère très peu les différences.

Quand j'étais grosse, les hommes me regardaient avec l'indifférence la plus totale. Lorsque j'ai pris l'avion, j'avais l'impression que les sièges avaient rapetissé. La tablette s'accotait sur mes seins. L'agent de bord me parlait comme si j'étais le fauteuil, mais quand il s'adressait aux autres femmes autour de moi, il reprenait un air séduisant. Ça m'avait terriblement blessée… Depuis que je suis mince, les hommes m'ouvrent la porte, m'abordent à l'épicerie, me sourient, me racontent des blagues et me font des clins d'œil. Bien sûr que j'apprécie ces gestes : comme la majorité des gens, j'ai besoin de reconnaissance, de gentillesse, d'amour.

Certains pourraient croire que les gens ont changé d'attitude à mon égard, car j'ai aussi changé la mienne ; en d'autres mots, ils croient que depuis que j'ai atteint mon poids santé, je dégage une énergie positive et que c'est plus agréable de me porter de l'attention. Peut-être qu'ils ont raison. Toutefois, j'ai toujours eu un bon sens de l'humour et j'ai toujours eu confiance en moi… même quand j'étais grosse. Dommage pour ces personnes qu'elles ne se soient pas intéressées à moi avant, elles ont manqué quelque chose !

Un psy à la rescousse !

Pour trouver un semblant d'équilibre, je variais mes nombreux excès. En d'autres mots, je variais mes déséquilibres. Je suis une femme impulsive. J'aime faire des choses sur un coup de tête, bien qu'il soit rare que je le regrette. Je fonce. J'aime oser, essayer. Mais avec ma consommation d'alcool et mon surpoids, je voyais très bien la trajectoire qui se dessinait devant moi. Une vie écourtée par la maladie, l'hypertension et le diabète. Ce n'était pas ce que je voulais, ce que je souhaitais pour mon avenir. J'avais l'impression de me diriger vers un mur, la tête baissée. Je voulais être rayonnante, belle et en forme. Je voulais me sentir bien dans mon corps. Et je ne pouvais pas me sentir bien telle que j'étais.

Cette fois, il n'était pas seulement question de perdre du poids. Je voulais aussi changer de style de vie et je crois que c'est ce qui a fait la différence dans ma prise de conscience.

Je ne voulais pas simplement changer le chiffre sur le pèse-personne, je voulais aussi changer mes habitudes.

Je repensais à mon père et aux choix qu'il avait faits. Je voulais emprunter un nouveau chemin : fini les privations et les régimes ! Car ce chemin-là, je le connaissais par cœur. Je pouvais décrire sa cartographie avant de m'y aventurer : d'abord, une partie pavée de motivation, sur laquelle la montée constitue un défi intéressant, où l'on se sent énergique. Ensuite, un petit segment de détermination. Puis une pente douce de relâchement. Et, finalement, une descente en enfer pour arriver au carrefour qui menait de nouveau à mon ancien sentier, la reprise de poids.

En 2010, j'ai consulté un psychologue. Je connaissais Michel parce qu'il avait donné de nombreuses formations à mon travail, au Carrefour ; j'aimais sa manière de travailler et d'aborder les problématiques. Comme nous étions une petite équipe formée d'une douzaine de femmes et que notre métier consistait à aider des familles, il était important que nous puissions bien nous entendre. Prêcher par l'exemple, en quelque sorte. Michel nous avait donné des moyens de régler certains irritants qui pouvaient survenir dans l'équipe et des trucs pour apprendre à gérer nos émotions et notre stress.

Je n'ai pas eu peur de me confier à lui, sans rien cacher de la vérité. À quoi cela m'aurait-il servi ? Je me mentais à moi-même depuis le début de ma vie et ça ne m'avait menée nulle part.

Je lui ai parlé de ma consommation d'alcool, de mes excès alimentaires, de ma perte de contrôle, de ma honte. De mon père, aussi. J'ai pleuré, beaucoup pleuré. Je souffrais, mais me confier me faisait du bien. Être réellement entendue était bénéfique. Les gens qui nous entourent sont gentils et peuvent nous écouter mais, parfois, j'imagine qu'ils en ont assez de notre rengaine. Et, surtout, ils ne sont pas outillés pour nous venir en aide... et ils ne sont pas toujours objectifs. Alors quand je parlais avec les gens de mon entourage de la douleur que je ressentais par rapport à mon poids, j'utilisais l'humour pour ne pas créer de malaise, pour montrer que j'étais au-dessus de ça, que la mode pouvait bien aller se faire voir et que je m'en fichais. Mais je n'étais pas sincère.

Avec Michel, je pouvais montrer que j'étais démolie au fond de moi. Parce que je ne me fichais pas de tout : chaque jour, je devais sortir, donc, chaque jour, je devais m'habiller et faire face aux regards et aux commentaires des autres. Mon poids, ce n'était pas un bouton que je pouvais cacher avec du fond de teint. J'avais beau mettre des vêtements qui m'avantageaient, ça n'enlevait pas mes 70 livres en trop, que je voyais non seulement dans mon miroir, mais également dans le regard des autres. Mon problème de poids était lourd à porter dans tous les sens du terme ! Et j'avais beau faire des efforts pour perdre un petit 7 livres, ce n'était pas suffisant pour que quelqu'un le remarque. Aujourd'hui, je comprends pourquoi certaines personnes abandonnent leur processus de perte de poids avant même de l'avoir commencé. C'est comme vouloir grimper une montagne et de la voir reculer au fur et à mesure que l'on avance...

C'est pourquoi l'appui de Michel a fait la différence dans ma vie. Il me percevait différemment de ce à quoi j'avais l'habitude et me faisait voir le problème sous des angles que je n'avais jamais abordés.

J'avais plusieurs craintes. J'avais peur de devenir une obèse morbide, j'avais peur de ne pas être capable d'arrêter de boire, j'avais peur de devenir invalide, comme mon père avant sa mort.

Et chaque fois que l'on se rencontrait, Michel me faisait avancer au bout de mes craintes, il me faisait visualiser le pire, voire l'inimaginable. Je ne l'ai vu qu'à quelques reprises, sur une période de quelques mois, mais ces rencontres ont transformé ma façon de me percevoir.

Le plus beau cadeau que je me suis offert, c'est d'apprendre à m'aimer.

Je me suis mise à aimer ma personne. C'est ce qui a été l'élément déclencheur de mon succès et je pense que c'est ce qui m'aide à tenir encore le coup, aujourd'hui. Je me suis dit que je m'aimais assez pour me faire du bien. J'allais perdre du poids pour moi et j'allais faire attention à mon alimentation. Je méritais ça.

Avant, j'étais prête à m'accorder un amour conditionnel, selon le poids que j'allais perdre. Je m'étais souvent dit qu'avec 30 livres en moins, je m'aimerais davantage, mais ça n'avait jamais été le cas. On devrait toujours s'aimer inconditionnellement. C'est ce que j'ai réussi à faire.

Mon surplus de poids contribuait à mon malaise, mais le malaise n'était pas simplement dû à mon état d'obésité. Michel m'avait aidée à décortiquer mon « fonctionnement ». Un peu comme on démonte un objet pour savoir pourquoi il ne fonctionne plus bien, on a décidé de me démonter et de me remonter d'une autre manière. On a réussi à construire la nouvelle Brigitte, sur de nouvelles bases.

Premièrement, je devais acheter des vêtements à ma taille. Pas de vêtements trop grands en prévision de grossir. Pas de vêtements trop petits en prévision de maigrir. Simplement de beaux vêtements qui me mettraient à mon avantage dans le « ici et maintenant ».

Une fois dans la cabine d'essayage, je me suis obligée à me regarder dans le miroir, de tous les côtés. J'ai promené mon regard sur mon corps en entier. Je l'ai regardé comme on regarde un ami, avec empathie et avec chaleur. J'ai constaté les dégâts.

J'avais des bourrelets dans le dos ! Je ne l'avais jamais remarqué ! C'était un choc. Du gras de ventre, oui, j'en étais consciente, mais du gras de dos... Et de profil, j'avais l'air d'être enceinte de six mois. J'avais le goût de fermer les yeux, mais j'ai résisté.

J'ai finalement vu un corps qui avait l'envie d'être bien traité et qui méritait d'être aimé.

Parfait ! J'allais m'en occuper ! J'aime ça, les défis, moi !

Après avoir choisi des vêtements, je suis allée au rayon des cosmétiques. J'allais m'acheter des petits pots de crème pour le visage ainsi que des produits de maquillage. C'était des gestes concrets, qui paraissaient peut-être superficiels, mais qui reflétaient plutôt une volonté de changement, de transformation extrême. Je voulais dorénavant prendre soin de moi ! C'était fini, le temps où je me disais que m'habiller avec coquetterie et me maquiller pour être jolie ne servait à rien. Fini l'indifférence ! Et la première personne que je voulais séduire, c'était moi !

Alléluia !

Dans bien des cas, lorsqu'on est maman, le « prendre soin des autres en premier » est tellement naturel que le « prendre soin de soi » relève pratiquement de la science-fiction. Eh bien, j'avais maintenant le goût de passer en premier dans ma propre vie et de rendre hommage à ce corps qui me traînait partout et qui faisait des efforts jour après jour pour me mouvoir. Ce corps que j'avais maltraité avec des abus de nourriture et d'alcool, ce corps qui avait si longtemps manqué de sommeil, ce corps qui ne m'avait pas laissé tomber.

Hymne à mon corps ! Il n'était pas parfait et j'allais l'accepter comme ça. J'allais cependant m'en occuper de la bonne manière, en étant fière de ce que j'étais pour le meilleur et non pour le pire. Ce corps m'avait permis de mettre au monde quatre enfants. Il avait subi toutes sortes de tempêtes à cause de moi, mais maintenant, c'était terminé. J'allais le soigner et le guérir. J'allais le porter à bout de bras, contre vent et marée s'il le fallait. Et plus jamais je ne l'abandonnerais. J'allais être solidaire.

J'entamais un changement majeur, et je le sentais intérieurement. Je sentais cette force qui grandissait et qui voulait s'exprimer. J'allais me réinventer, j'allais me créer et j'allais enfin pouvoir voir qui j'étais vraiment !

Depuis quelques mois, j'avais de la difficulté à me lever de mon lit. J'avais d'ailleurs dit à Patrice que le matelas était trop usé, qu'il fallait penser à le changer, qu'il me donnait des maux de dos. L'idée que mon surplus de poids soit à l'origine de mes douleurs ne m'avait jamais effleuré l'esprit. Je me sentais lourde. J'avais 42 ans et je me sentais vieille. Je voulais que tout ça change.

Deux ans plus tôt, j'avais retenu les services d'un entraîneur privé à raison de trois fois par semaine, durant trois mois. Ça m'avait énormément aidée. Je me disais que je devrais répéter l'expérience afin de profiter de cette aide et de ce soutien. Ma perte de poids était conditionnelle à faire de l'activité physique. J'avais exclu l'idée de recourir à la chirurgie esthétique pour drainer toute ma graisse : à mon avis, opérer une personne obèse sans faire de suivi psychologique pour changer ses habitudes alimentaires, c'est comme payer les dettes d'un joueur compulsif. On ne règle pas du tout le problème, on n'agit que sur ses conséquences. Ainsi, mon problème n'était pas l'ingurgitation de la nourriture, c'était la relation que j'entretenais avec celle-ci. Les aliments sont là pour nous donner l'énergie nécessaire pour travailler, bouger, nous déplacer. Moi, je m'en servais comme réconfort, comme bâillon à mes émotions, comme distraction. Au lieu de puiser de l'énergie pour bouger, j'étais ralentie par mon surplus de graisse et j'avais mal au dos.

Le yoga a aussi fait partie de ma démarche. Une amie avait ouvert une école de yoga : je me suis inscrite à une session de douze semaines. Ah ! Le yoga ! Je n'ai jamais été souple, alors les exercices d'étirement où l'on doit se détendre dans la position de l'enfant me faisaient plutôt l'effet contraire. Je cherchais uniquement le moyen de respirer, je n'étais pas du tout rendue à l'étape de me détendre ! J'étouffais littéralement. Je ne pouvais pas croire que les gens trouvaient du bonheur à faire ces exercices. Pour moi, c'était un calvaire. Chaque position (à part celle de la montagne, qui consiste à être debout et à se détendre) était une source de souffrances.

Petit à petit, je constatais l'écart entre mes aptitudes et celles des autres participantes : je ne manquais pas seulement de flexibilité, j'avais un problème de poids à régler. Pendant une heure et demie, la consigne était d'être à l'écoute de son corps. Eh bien, le seul message que je recevais était assez clair : « Si tu étais plus mince, ma Brigitte, peut-être que ce serait plus plaisant. »

Dans l'inconfort, j'essayais de respirer et de trouver un certain bien-être. Je souriais aux autres, mais au fond de moi, j'étais triste. J'avais toujours eu la crainte de perdre le contrôle et de devenir très grosse. C'était exactement pour ça que j'avais fait de si nombreux régimes depuis mon adolescence, et c'était aussi pour cela que je réalisais que je ne pouvais pas continuer sur ce chemin si je voulais retrouver la forme et vieillir en santé. Je repensais à mon père. J'avais l'impression qu'il avait perdu son combat contre son poids. Avait-il appris des choses sur lui-même avant de mourir ? J'aurais aimé le savoir.

Les points sur les *i* et les barres sur les *t*

Bien des gens me disaient que c'était normal d'avoir un corps de cette ampleur ; après tout, j'avais eu quatre enfants. Mais moi, ça ne me réconfortait pas du tout : l'une de mes meilleures amies avait aussi eu quatre enfants, et elle n'était pas grosse pour autant. Ah ! Les phrases creuses pour éviter les malaises !

Heureusement, j'avais la chance d'avoir Violaine dans ma vie. Une amie très proche et très empathique qui souhaitait vraiment m'aider dans ma démarche. Il lui est arrivé plusieurs fois d'intervenir lorsqu'elle me trouvait au bureau en plein épisode d'hyperphagie en me retirant doucement la boîte de biscuits que j'étais en train d'engloutir. Elle me disait d'en prendre un dernier, puis me ramenait à ma tâche, sans me juger, sans commenter, sans blaguer et sans minimiser ce que je venais de faire. Je crois qu'elle devait beaucoup m'aimer pour prendre la responsabilité de m'aider.

La majorité des gens nous regardent grossir sans dire un mot. Personne ne demande : « Est-ce que ça va ? Je m'inquiète, car tu as pris beaucoup de poids. » Évidemment ! Ça ne se fait pas, ce serait grossier, voire invasif. Le poids, ça appartient à la personne qui le porte. On entretient notre corps comme on le veut ! Et, surtout, s'il y a un problème derrière cette prise de poids, est-ce qu'on veut vraiment le savoir ? Veut-on s'impliquer ? Non. Mieux vaut passer son chemin, ne courir aucun risque de froisser la personne concernée, ne pas tendre la main.

Heureusement, il y a les enfants ! Ils sont francs et directs.

Un jour, à l'épicerie, un petit garçon m'a demandé candidement si j'avais un bébé dans mon ventre.

J'ai répondu par la négative. En voyant les points d'interrogation dans ses yeux, j'ai décidé de préciser : « Je suis juste grosse. » Bien sûr, j'ai provoqué un malaise chez la maman. Le temps s'est figé, un ange est passé, on s'est saluées puis on est reparties chacune de son côté.

Dire « Je suis juste grosse » a eu un effet salutaire chez moi. Ainsi, j'étais grosse au point où les gens pensaient que j'étais enceinte.

Bon.

Maintenant, qu'est-ce que j'allais faire avec ça ? Je me suis donc posé la question : « Brigitte, es-tu bien dans ton corps ? » Et ma réponse a été catégorique : « NON ! Non, je ne suis pas bien ! Je suis malheureuse ! Très sincèrement malheureuse ! »

Car je connaissais des gens qui disaient que ça ne les dérangeait pas d'être gros. Je les crois, mais moi, ce n'est pas du tout ce que je ressentais. Je n'étais pas « pulpeuse et épanouie ». Moi, Brigitte Marleau, je ne voulais pas être grosse.

Des clochettes tintaient dans mon cerveau. Le message de perdre du poids faisait son petit bout de chemin à l'intérieur de moi.

La perte de mon père a aussi joué un rôle dans ma prise de conscience. Je l'ai vu peu à peu devenir invalide. À la fin, il avait de la difficulté à marcher de la cuisine au salon. Bien entendu, ça me faisait réfléchir. Le corps n'est pas conçu pour porter un tel poids. C'est quand même ironique quand l'on sait que l'accumulation de graisse, qui constitue un moyen de survie, est en train de nous tuer. La façon dont mon grand-père se nourrissait lorsqu'il vivait et travaillait à la ferme ne peut pas s'appliquer à ma vie sédentaire sans avoir des conséquences désastreuses. Je ne faisais pas les foins : j'étais assise à écrire toute la journée !

Je réfléchissais aux défis que la vie met sur la route de chacun. Je repensais à ma mère qui avait réussi à arrêter de fumer. Jamais je n'aurais cru cela possible. Elle-même doutait de réussir un jour à se défaire de sa dépendance. Mais si ma mère avait réussi à arrêter de fumer, je pouvais réussir à maigrir et à maintenir mon nouveau poids. Je savais que cela avait été le défi de sa vie. Quand j'étais plus jeune, je la harcelais constamment pour qu'elle arrête. Je détestais la fumée de cigarette. J'avais souvent caché ses cigarettes, même détruit ses paquets pour qu'elle arrête. Aujourd'hui, elle était fière d'elle et était dorénavant dérangée par la fumée secondaire. Elle s'excusait sincèrement de nous avoir fait endurer ça. C'était une prise de conscience indirecte, mais c'était une prise de conscience frappante.

Je pouvais et j'allais réussir. Ma volonté se construisait petit à petit.

On prétend que l'on ne peut s'en sortir que lorsqu'on a l'impression d'avoir touché le fond. Alors là, bien creux dans le trou, les pieds dans la boue (pour ne pas dire autre chose...), si on veut s'en sortir, il ne reste qu'à donner un coup du talon et à se propulser. C'est là que j'ai eu l'idée d'afficher concrètement mes objectifs au moyen d'images. Je ne me suis pas représentée dans la boue. J'ai découpé des photos de sorte à coller mon visage sur celui de femmes plus minces et plus en forme que moi, que je trouvais dans les magazines. J'ai ensuite fixé ces images sur les murs de la maison, et je les montrais à mes amies. On a bien ri, mais au fond, c'était de la visualisation. Oui, je voulais arriver à ça. Je voulais ressembler à ça. Je voulais pouvoir marcher sans m'essouffler comme cette femme-ci, adopter des poses de yoga en étant détendue comme celle-là et, surtout, être bien dans ma peau.

Je n'avais pas du tout l'obsession de la minceur à tout prix. Je recherchais le bien-être, la forme physique et la santé.

Je savais que je ne voulais pas faire un régime, que je ne voulais pas affamer mon corps. Je voulais tout simplement le modeler de manière à être bien.

Oui, mais comment?

Un jour, la solution m'est apparue. J'étais allée chez le vétérinaire avec ma chienne, un bouvier bernois adorable. Le vétérinaire l'avait pesée; elle était beaucoup trop lourde. J'ai répondu qu'elle et moi avions le même problème : nous étions gourmandes. Le vétérinaire a baissé les yeux. Que répondre à ça? Cette réalité a tout de même fait un bout de chemin dans ma tête : ma chienne et moi souffrions d'embonpoint. Il fallait que je fasse quelque chose.

Au travail, il y avait une stagiaire qui venait du Sénégal. Dans son pays, elle vivait le rejet. Elle était belle, grande et mince, mais aucun homme ne s'intéressait à elle. Elle m'a expliqué qu'en Afrique, une femme est dite belle si elle affiche de bonnes hanches et un surplus de poids. C'est un symbole de santé et de richesse. Là-bas, c'est elle qui était différente. Si je vivais là-bas, aurais-je le goût de maigrir? Une partie de moi, celle qui avait besoin de reconnaissance et d'amour, a répondu négativement à la question. L'autre, celle qui ne se sentait pas bien dans son corps et qui avait mal au dos, disait que oui, que j'aurais quand même décidé de maigrir.

Ma réponse était tout de même un peu rapide.

La pression sociale que je ressentais quand j'étais plus grosse était très lourde à porter. Je ressentais le besoin d'être désirée socialement.

Je n'étais pas au-dessus de ça. Au Sénégal, avec mes atouts, j'aurais peut-être accepté d'avoir mal au dos pour me sentir mieux intégrée dans la société. Je revenais donc à mon questionnement : est-ce que j'entamerais un processus de perte de poids pour les bonnes raisons? J'ai alors repensé à mes voyages en Amérique centrale ; même si les gens me trouvaient chanceuse d'être une *gordita*, je n'avais eu aucun plaisir à être qualifiée de petite grosse.

J'avais été élevée dans une culture où il était mal vu d'être en surpoids, et j'avais intégré ces valeurs.

Même en m'étant promis que, dorénavant, je m'aimerais telle que j'étais, je n'allais pas pouvoir être confortable en étant grosse.

J'avais ma réponse.

Un sentiment de trahison

Je voulais perdre du poids et j'allais le faire. En même temps, j'avais l'impression de quitter les rangs de ceux qui se battaient pour la différence. J'avais la désagréable impression de les trahir. L'être humain doit avoir le droit d'afficher n'importe quel poids, j'en suis convaincue. Je voulais continuer à être solidaire avec ceux et celles qui défendaient ce droit, mais comment faire ?

J'étais déchirée dans cette prise de conscience. Mes démons intérieurs se battaient. J'avais vécu tant de fois une perte de poids, où je prônais la santé et l'importance de bouger ! Et en engraissant quelques mois plus tard, je modifiais mon discours en disant que, finalement, ce qui était important, c'était d'être bien avec soi-même. Est-ce que je me mentais volontairement ? J'avais besoin d'y voir plus clair. Où se trouvait ma vérité ? Probablement quelque part entre les deux points de vue. Je devais trancher. Mais cette fois-ci, je n'avais pas enfoui ma tête dans le sable : j'avais eu le courage de regarder les raisons qui me poussaient à vouloir changer mon style de vie. Je prenais le temps de faire le tour de la question.

En 2010, j'ai écrit un livre pour enfants traitant de l'obésité. J'abordais le sujet qui me posait le plus de difficulté. Le surpoids chez l'enfant est souvent lié à l'intimidation. Chez les jeunes, l'obésité n'affecte pas toujours la santé, mais elle joue souvent un rôle dans les relations avec les autres. Je me sentais obligée d'aborder cette différence. Mon message était très consensuel : « L'important, les enfants, c'est de bien manger et de bouger. » Je m'envoyais un message personnel. Je parlais aussi du respect des différences et de l'importance de prendre soin de l'autre et de ne pas le juger. La recommandation émise aux parents était de demeurer à l'écoute de la souffrance de leur enfant et de ne pas la sous-estimer.

Les enfants ne parlent pas tous de l'intimidation ; bien souvent, la peur les en empêche. Je suis bien placée pour vous en parler : ma fille Gabrielle a vécu de l'intimidation au primaire. Oh, rien de bien méchant, et j'ai pu intervenir à temps. Toutefois, lorsqu'elle était au secondaire, et malgré ma prévention, elle n'a pas pu échapper à la cruauté de certains élèves. Gabrielle est revenue de sa première journée d'école les cheveux remplis de bave et de gommes à mâcher. Dans l'autobus scolaire, des jeunes avaient craché sur elle. Mon cœur de mère était en miettes. Prenant mon courage à deux mains, j'ai coupé ses si beaux cheveux. Je les ai mis dans un sac transparent, et je suis allée voir les parents de l'un des responsables. J'ai voulu leur expliquer pourquoi je venais les rencontrer avec les cheveux de ma fille dans un Ziploc, mais je me suis effondrée en pleurs sur le pas de leur porte. Ces parents ont été tellement fantastiques, et je les en remercie encore : leur fils est venu à la maison afin de demander pardon à Gabrielle, et il a promis de veiller sur elle dans l'autobus.

Toutefois, Gabrielle a souffert d'autres épisodes d'intimidation. Ainsi, son anxiété a atteint de tels sommets qu'elle a commencé à s'arracher des touffes de cheveux, littéralement. Depuis, elle souffre de ce trouble, qui s'appelle trichotillomanie. Il est souffrant pour une mère de ramasser les cheveux de sa fille, en sachant la douleur qu'elle s'inflige. C'est encore plus souffrant pour l'enfant. Ç'a provoqué chez moi des épisodes d'hyperphagie assez intenses...

CHAPITRE 7
La mise en action

Septembre 2011. J'étais au bout du rouleau. J'avais l'impression d'observer une affiche indiquant deux directions opposées. L'une qui pointait vers la maladie et l'autre vers la santé. Je restais plantée devant cet écriteau, confuse, mais la vie suivait son cours et je devais opter pour une direction. Je me sentais brusquée. J'avais été trop longtemps malheureuse.

La veille, j'avais eu une discussion franche avec mon mari. Je ne me sentais plus désirable. Et puis j'étais triste de la tournure que ma vie avait prise.

Malgré le succès de mes livres pour enfants.

Malgré la présence de mes amies, avec lesquelles j'entretenais de belles relations.

Malgré mon travail d'intervenante auprès des familles et de leurs bébés.

Malgré des collègues de travail que j'aimais comme une famille.

J'avais totalement perdu le contrôle de mon alimentation et de ma santé. J'avais grossi, je n'étais pas en forme et je m'évadais trop souvent dans les vapeurs de l'alcool. J'avais de la difficulté à me lever de mon lit et je n'avais que 42 ans !

Je voulais que ça change et j'y croyais sincèrement. Et j'avais l'appui de Patrice. Il avait toujours cru en moi. Parfois, je me demande quel élément a fait en sorte que ce départ a été le bon. Les astres étaient-ils alignés ? Mon ange gardien était-il sur le point de faire une dépression ? Tout ce que je savais, c'était que j'étais prête à apporter des changements dans ma vie et que je le faisais pour moi. Pas pour faire plaisir à quelqu'un d'autre. En psychoéducation, quand on nous enseigne comment établir un plan d'intervention, on nous précise que l'objectif doit être SMART, c'est-à-dire spécifique, mesurable, atteignable, réaliste et réalisable dans un temps limité. Je crois que tous ces attributs qualifiaient les objectifs que j'avais établis au départ ; je les ai maintenus dans le temps, année après année.

C'était spécifique, car je voulais perdre du poids et me remettre en forme. Les résultats du pèse-personne et du ruban à mesurer autour de ma taille allaient me permettre de mesurer mes progrès. L'entraîneur allait prendre d'autres mesures pour déterminer ma forme. Entre autres, je savais qu'il allait prendre ma pression et mon rythme cardiaque au repos et à l'effort. Il m'indiquerait quel genre d'exercices je devais faire ; j'avais confiance. J'avais mal au dos, mais je me doutais qu'à la suite de ma perte de poids, j'irais mieux. Aujourd'hui, je me rends compte que mes maux de dos ont été un déclencheur positif, mais que ç'aurait très bien pu être le contraire : j'aurais pu cesser toutes mes activités en me disant que j'étais trop mal en point pour bouger. Ç'aurait été catastrophique ! Être sédentaire m'aurait fait prendre du poids. Plusieurs personnes ont des limitations physiques, et elles devraient s'en servir comme levier plutôt que de les considérer comme un handicap. Certaines personnes, comme moi, perdront du poids et s'apercevront que ce mal n'était qu'un signal du corps en présence d'un surpoids. D'autres font face à des blessures qui doivent être guéries, mais il y a toujours et il y aura toujours une solution pour pouvoir bouger et se mettre en forme, et ce, peu importe les limites physiques.

Go, Brigitte !

J'avais déjà consulté un psychologue. Maintenant, je devais consulter un entraîneur. Je voulais me fixer un objectif atteignable ; mon défi devait me permettre d'accomplir quelque chose de nouveau ; quelque chose qui, avec un peu d'effort, était possible. En fait, je me lançais deux défis : la perte de poids et la remise en forme. Je n'avais pas vraiment déterminé combien de livres je voulais perdre ni jusqu'à quel point je voulais devenir en forme, mais j'allais sûrement avoir l'occasion d'en discuter. Je voulais que mon processus ressemble à un escalier : je voulais monter une marche à la fois.

Les attributs atteignables et réalistes de mon plan d'intervention allaient de pair : courir un kilomètre à la Course du Fort Chambly était un objectif atteignable et réaliste. Courir un kilomètre à la course d'Hawaï était peut-être atteignable, mais irréaliste. Et ce défi devait être réalisable dans un temps optimum pour pouvoir garder ma motivation. Certaines personnes ajoutent que l'objectif doit être consensuel. L'entraîneur aurait pu offrir n'importe quel plan d'entraînement, il fallait que je sois d'accord pour que ça fonctionne.

C'était maintenant clair dans ma tête !

J'ai pris la camionnette et je suis allée m'inscrire au centre de conditionnement physique près de chez moi. J'ai sélectionné un programme avec un entraîneur privé, trois fois par semaine. Je restais sur mon appétit de ne pas commencer le jour même, mais une légèreté, un bien-être m'ont envahie en sortant de l'endroit. Même mon compte en banque était allégé !

Un geste concret avait finalement été posé.

Est-ce que le fait d'avoir retenu les services d'un entraîneur a alimenté ma détermination ? Je crois sincèrement que oui. La preuve : ça fait plus de trois ans que je m'entraîne !

Et aux détracteurs qui disent que ça coûte cher, je leur réponds qu'on dépense l'argent que l'on a. Je ne bois plus de vin, ce qui, compte tenu de mon cellier que j'aimais garder plein, me fait faire des économies considérables...

Je ne pourrais pas me passer d'un entraîneur privé. Ce n'est pas lui qui s'entraîne et qui souffre à ma place, mais grâce à ses connaissances, il me guide et il m'aide à atteindre mes objectifs. C'est un conseiller, un tuteur, mais c'est moi qui dois m'accrocher et avancer. Il ne va pas m'appeler pour que je me présente au gym ; il ne va pas s'interposer entre le garde-manger et moi ; il ne va pas me suivre au bureau pour s'assurer que je ne m'empiffre pas de biscuits. Il est là pour m'aider dans mon plan de remise en forme. Si je lui mens, je me nuis.

Un travail d'équipe

J'ai aussi impliqué mes enfants dans mon processus de remise en forme. J'ai organisé une réunion familiale durant laquelle je leur ai présenté mes objectifs et les buts que je voulais atteindre. J'ai parlé franchement, sans avoir peur de montrer ma vulnérabilité. Je n'étais pas la mère parfaite, je ne tendais même pas vers cet idéal. Mais je trouvais que c'était bien, car ça leur permettait de vivre leur vie d'enfants en se donnant le droit d'être aussi imparfaits. Je voulais être en forme et perdre du poids. J'avais l'aide d'un entraîneur privé pour y arriver, mais j'avais aussi besoin de leur compréhension.

Mes enfants comprenaient mon besoin et m'ont dit qu'ils allaient m'aider. Mon plus jeune fils, Laurent, qui allait avoir 11 ans, a décidé que j'allais commencer ma mise en forme la journée même. Il m'a fait faire des exercices d'échauffement, et puis nous sommes allés jouer au soccer. Le lendemain, il est allé chercher le pèse-personne et m'a fait monter dessus : il était fier de moi, j'avais déjà perdu du poids !

Je pense que partager ma résolution avec ma famille m'a aidée à me projeter positivement dans l'avenir. Contrairement à la fois où j'avais entrepris de perdre du poids en ne le disant à personne, cette fois, je sentais le soutien de mon entourage. Tout le monde participait. Mes quatre enfants, Gabrielle, Étienne, Marie et Laurent, sont très sportifs et je les admire beaucoup. Ensemble, on s'est mis à jouer dehors comme jamais auparavant. J'ai même ressorti mes patins à roues alignées !

Après m'être inscrite au gym, je me suis dirigée vers la clinique. Je voulais des médicaments pour dormir. Arrêter de boire du vin, c'était bien, mais mon corps s'était accoutumé à se détendre avec l'alcool. Or, je souffrais encore de troubles d'anxiété dès que la noirceur s'installait, ce qui m'empêchait de dormir. Et j'avais besoin de repos. À la clinique, le médecin a été surpris de mon honnêteté et de ma lucidité. Je n'avais pas besoin qu'on m'enferme, j'avais juste besoin d'apprendre à dormir sans alcool. Merci docteur ! Le médecin m'a remis une ordonnance, tout en me mettant en garde contre la prise à long terme du médicament. Il ne voulait pas que je remplace une dépendance par une autre, et moi non plus. Depuis, j'ai appris à faire des exercices de relaxation pour vaincre mes troubles du sommeil.

Partir en voyage pour rompre avec mes habitudes

Mon inscription au gym ne rimait pas avec le début immédiat de mon entraînement. J'avais prévu une période de transition entre mon ancienne vie et la nouvelle : j'en ai profité pour partir en vacances pendant quelques jours avec des amies. Direction : Barcelone.

Ç'a été la meilleure initiative que j'ai prise pour briser mes habitudes. J'étais dans un nouveau pays. Je n'avais pas de routine. J'étais en décalage horaire, et c'était parfait ! Même les bons vins espagnols n'avaient aucun attrait ! Au contraire, ma réflexion s'approfondissait et j'étais de plus en plus convaincue que je choisissais le bon chemin.

Je me libérais des chaînes que je m'étais fabriquées. Je me sentais libre, belle et bien dans ma peau.

Ce n'était pas la première fois que j'entreprenais d'arrêter de boire de l'alcool, mais ce qui rendait cette fois-ci différente, c'était ma profonde conviction que mon changement de vie allait produire des résultats permanents. J'étais motivée à garder le cap sur le bien-être et la forme physique. Je voulais être au mieux ! J'avais 42 ans et, pour une fois, je reprenais le contrôle de ma vie et de ma santé. Je n'allais pas risquer de tout bousiller en prenant un petit verre de vin, puis un autre, puis un autre (car on se rappelle comment j'aimais le vin !), revenant ainsi à la case départ de ma démarche. Je n'avais pas encore commencé à m'entraîner, mais j'étais inscrite au gym et, pour moi, le processus de changement était déjà enclenché.

En voyage, je constatais que d'autres femmes attiraient les regards des hommes, alors que moi, il semblait que je suscitais l'indifférence générale. C'est comme si je n'existais pas, comme si j'étais un objet, un banc de parc. Bien sûr que c'est blessant ! Mais cette fois, plutôt que de m'apitoyer sur mon sort, je me disais que tous ces gens ne savaient pas qu'une transformation était en train de s'opérer dans ma tête. J'étais une belle femme et ils passaient à côté de quelque chose de grandiose ! Plus je ressentais l'indifférence, le jugement ou le dégoût, plus je nourrissais ma détermination. Un peu comme celle qui se dit : « Vous pensez que je ne vais pas y arriver ? Eh bien ! Regardez ce qui s'en vient ! » J'allais réécrire l'histoire du vilain petit canard. J'étais si férocement ancrée dans ma détermination que j'avais des réflexions vindicatives : « Vous verrez, quand je serai belle et désirable, comme je vous mépriserai ! »

Bon, ce n'était pas très glorieux, tout ça. Heureusement, me venger n'était pas ma véritable motivation !

Sur Facebook, je pouvais suivre les statuts d'un ami, André, qui avait perdu énormément de poids et qui avait décidé de s'entraîner pour courir un marathon. Il publiait des photos de sa transformation et de ses entraînements sur son mur. Ça m'a inspirée. S'il avait été capable d'atteindre son objectif, qui consistait à courir un marathon (pour moi, s'épuiser sur 42 kilomètres était inconcevable !), eh bien, j'allais sûrement pouvoir atteindre l'objectif de perte de poids et de mise en forme dont je rêvais. Il avait réussi ; moi aussi, j'allais réussir.

Je voulais m'occuper de moi pour me sentir bien, pour être en forme, pour ne pas vieillir malade. Je ne voulais surtout pas être mince à tout prix. Pas d'obsession de la minceur ! Mais il y aura toujours le mot obsession dans ma vie, puisque je suis une « obsessive compulsive impulsive » ! Alors j'ai décidé de diriger mon obsession vers ma santé. Si j'avais été bien dans mon corps, si je n'avais pas eu de maux de dos ni de problèmes gastriques, si j'avais été souple malgré mes livres en trop, peut-être que je me serais battue pour que ma différence soit mieux acceptée par ceux qui jugent les personnes obèses. Mais au moment où j'ai entamé mon processus de perte de poids, je n'avais pas un souci d'esthétisme : je ne me sentais pas bien sur le plan physique. Le travail à faire n'était pas psychologique, mon but n'étant pas d'arriver à aimer mon corps obèse. Non. Le travail à faire était physique ; je devais maigrir pour être en forme, point.

Mon corps et moi

À Barcelone, j'avais commencé à faire de longues promenades, et ce, autant pour ventiler mon esprit que pour tranquillement habituer mon corps à l'effort physique. Puis j'ai commencé à faire des choix sains au restaurant. J'optais pour des plats qui m'apparaissaient bons, donc qui étaient sains pour mon corps et qui me permettaient de respecter mon objectif. Je prenais plaisir à choisir de la paella ou des poissons frais plutôt que d'opter pour des aliments cuits dans la friteuse ; je faisais ainsi autant plaisir à mon esprit qu'à mon métabolisme. Mes deux Brigitte étaient contentes !

Je dis « mes deux Brigitte » car, à cette époque, j'avais pris conscience que mon esprit et mon corps avaient toujours été comme deux entités distinctes. Pendant toute ma vie, c'est mon esprit qui avait voulu manger des sucreries de façon compulsive, pas mon estomac !

L'une des plus belles choses que j'ai accomplies par la pratique de l'exercice a été de réunir mon corps et mon esprit et d'en faire des alliés indissociables. Je pense qu'un lien de confiance s'est développé. Jusque-là, mon esprit n'avait pas été très gentil avec mon corps. Par exemple, durant un régime, mon corps criait qu'il avait faim mais mon esprit ne l'écoutait pas. À force de crier à l'aide et de ne pas obtenir de réponse, mon corps a fini par se refermer sur lui-même et n'a plus exprimé ses besoins. Ainsi, je ne savais plus si je mangeais par appétit ou par habitude, et lorsque je mangeais, je ne savais pas si j'avais atteint le sentiment de satiété ou pas.

Alors que mon esprit avait plusieurs idées pour maigrir ou pour se remettre en forme, il en voulait à mon corps de ne pas collaborer. « Pourquoi ne réussis-tu pas à courir cinq minutes ? criait mon esprit. Tu es paresseux ! » Mais le corps, qui n'avait jamais été entraîné, ne pouvait pas suivre le rythme ; et l'esprit ne comprenait pas ça. Eh oui, il y avait une séparation, une dichotomie !

À mon retour de Barcelone, je devais m'acheter des vêtements de sport pour l'entraînement que je m'apprêtais à commencer. Je ne pouvais pas me rendre dans un magasin d'articles de sport, puisque la taille la plus grande qu'ils offraient était le très grand… ce qui n'était pas assez grand. Aujourd'hui, le choix est vaste et les coupes, seyantes, même pour les personnes obèses. Mais à l'époque, j'ai dû me contenter des magasins à grande surface qui offraient des vêtements plus amples.

Misère.

Je voulais une tenue dans laquelle je ne me trouverais pas trop grosse. Devais-je prendre un chandail très ample ou un peu ajusté ? Je me souviens d'un t-shirt bleu imprimé d'un énorme Schtroumpf sur le devant. J'ai revu l'énorme marguerite jaune sur ma robe de maternité. NON ! Pas question ! Je ne voulais pas être le point de mire de la salle d'entraînement. Je voulais m'effacer jusqu'à ce que j'atteigne mon poids santé. Là, je me permettrais de briller en jaune fluo ! Mais ceci relevait du fantasme. Un pas à la fois. J'ai finalement choisi des t-shirts et des pantalons extensibles… noirs, puisque c'est la seule couleur que mon ego acceptait. Je ne me sentais pas capable d'arborer des chandails fluo ou rose bonbon, encore moins des pantalons à motifs voyants. Pourtant, j'aurais pu, car il y en avait de ma taille.

Acheter des souliers de sport représentait un autre défi, auquel je ne m'attendais pas du tout. Je suis entrée dans un magasin d'articles de sport, croyant que je n'aurais que la couleur à choisir. Erreur.

— Vous faites quoi ? m'a demandé le vendeur.

— Je vais m'entraîner.

Le jeune homme a affiché un petit sourire en coin.

— Je m'en doutais.

Je savais qu'il s'en doutait. Pour quelle raison une femme affichant un surpoids voudrait-elle bien s'équiper d'une paire d'espadrilles si ce n'était pour s'entraîner ? Est-ce qu'il était en train de rire de moi, lui ? Je devenais paranoïaque.

— Je vais faire des exercices variés, ai-je fini par ajouter.

— Ah, d'accord. Alors, il vous faut des souliers multisports.

Ah ? Parce qu'il existe des souliers spécifiques à un type d'activité ? À voir le mur tapissé de chaussures, c'était visiblement le cas. Les bons souliers étaient l'ingrédient magique de la réussite du sport.

— C'est sûrement parce que je n'avais pas les bons souliers que j'ai échoué lors de mes tentatives précédentes de remise en forme…

Évidemment, je blaguais. Sourire poli du vendeur. Encore une comique…

J'ai enfilé une première paire de souliers. Ils ne me faisaient pas bien. « Et ceux-là ? » ai-je demandé. Non plus. Tous les souliers multisports ne me convenaient pas. J'avais chaud et je n'avais pas encore commencé l'entraînement. J'étais rouge et échevelée…

Mais j'avais de la volonté.

Je me suis approchée d'une autre paire.

— Ceux-ci sont conçus pour la course, m'a indiqué le vendeur.

— Ah. Je peux les essayer ?

— Bien sûr. Vous faites de la course ?

— Pas encore. Mais je vais m'y mettre. Pas aujourd'hui, mais bientôt…

Haussement des sourcils du jeune homme. Il m'a alors tendu les souliers dont il est impossible de prononcer le nom de la marque. Je les ai essayés. Ah, finalement ! « Ils sont très confortables, je vais les prendre. » Puis j'ai regardé le prix et j'ai grimacé. Je n'allais peut-être pas les prendre, finalement… Peut-être que je devrais attendre ? Et puis non, ça faisait partie du jeu.

> On ne fait pas d'omelette sans casser des œufs, et l'on ne fait pas d'exercice sans s'équiper comme il le faut. Prendre soin de moi et m'offrir des souliers qui vont m'aider à prendre soin de moi, ça, c'était un vrai départ !

C'était un départ qui faisait mal au portefeuille, oui. J'ai grimacé encore. J'avais mal et je n'avais pas encore payé la facture ! Puis je me suis dit que lorsque j'allais chausser ces souliers hors de prix, je me sentirais obligée de les utiliser, donc je devrais courir, puisqu'il s'agissait de souliers de course. Mais peut-être que je pourrais commencer avec mes vieux souliers, non ?

Non. Je n'allais pas laisser ces précieuses chaussures, ingrédient magique de ma réussite, sur une tablette ! Je n'allais pas me laisser impressionner par le prix. Alors j'ai foncé vers la caisse avant de changer d'idée. J'avais vécu tout un débat intérieur, mais l'impulsion a gagné sur les basses considérations financières. Depuis, je me fais un devoir de m'offrir une paire de souliers de course neufs chaque année. Et chaque fois, je passe un temps fou à essayer plusieurs paires... et je finis toujours avec la même marque, celle qui est imprononçable. C'est celle que j'aime et mes pieds sont heureux !

Je considère ces achats comme un bon investissement.

Un nouveau départ

La mise en action comprenait aussi un nouveau départ alimentaire. Je me suis mise à boire beaucoup d'eau et j'ai acheté de nombreux thés et tisanes. Je devais me créer de nouvelles habitudes. J'y suis arrivée : aujourd'hui encore, je continue à boire beaucoup d'eau. Quand mon entraînement est intense et qu'il dure une heure ou plus, je consomme une boisson sportive contenant du sodium et du potassium. Car l'an passé, j'ai souffert de déshydratation. Je faisais du ski de fond avec les enfants, et pour éviter de devoir uriner dans les bois, j'avais décidé de ne pas boire durant l'activité, qui avait duré plusieurs heures... Je me suis donc retrouvée à l'hôpital avec une solide arythmie causée par une carence en potassium. Je ne vous le souhaite pas : c'est très désagréable.

Pour ce qui était de l'épicerie, puisque j'avais toujours rempli le frigo de fruits et de légumes, j'ai continué en ce sens. Côté desserts, je n'ai privé personne de sucreries à la maison, mais je sélectionnais celles qui ne me tentaient pas. C'était donc beaucoup plus facile de bien manger. Je me suis aussi mise à cuisiner de gros chaudrons de soupe. Moi qui, comme Mafalda, détestais la soupe étant enfant, j'ai apprivoisé ce plat à l'âge adulte. De bons potages, qui n'avaient rien à voir avec la soupe aux choux que je m'étais imposée dans l'une de mes tentatives de régime minceur, qui était assez simple : je n'avais qu'à manger de la soupe aux choux dès que j'avais faim. Mais comment penser pouvoir tenir le coup ? C'était absurde !

J'ai aussi acheté un journal intime. Il ferait office de carnet d'alimentation et d'entraînement. J'avais lu dans Internet qu'il était conseillé de détailler ce que l'on mangeait et les activités que l'on faisait. Très bien.

Des souliers, des vêtements, un carnet et, surtout, un entraîneur… Lentement, je me préparais pour le grand jour.

Ce qui a complété ma prise de conscience a été la pesée. Je ne m'étais pas pesée depuis des mois, et je n'avais pas arrêté d'engraisser. J'avais connu plusieurs épisodes d'hyperphagie qui avaient laissé leur trace sur ma silhouette. Quand je perdais le contrôle, j'arrêtais de me peser. Je savais intérieurement que je prenais du poids, mais le fait de ne pas l'afficher me laissait croire que je pouvais continuer à manger ce que je voulais. Quand mes vêtements devenaient trop serrés, je mettais ceux plus grands que j'avais conservés dans ma garde-robe, c'est tout ! Mais voilà, je portais désormais ce que j'avais de plus grand… Il a donc fallu que je réussisse à vaincre ma peur de confronter mon poids. J'allais monter sur le pèse-personne pour regarder ma réalité en face. Je savais que je n'allais pas être fière de ce que j'allais voir, mais je devais le faire. Je ne voulais pas avoir la surprise de découvrir mon poids au gym. Ainsi, si c'était désastreux, j'allais pouvoir pleurer dans l'intimité de ma salle de bains.

Je pesais 203 livres.

Le choc.

J'avais dépassé les 200 livres. J'étais peinée devant ce chiffre, mais je n'étais pas effondrée. Je me suis dit que plus jamais je n'allais atteindre ce poids. Jamais !

J'étais finalement heureuse d'avoir eu le courage de me peser. Car si je ne l'avais pas fait, j'aurais continué à engraisser, et ce, jusqu'à dépasser les limites du pèse-personne. Même si cette étape a été l'une des plus douloureuses, ç'a été la plus importante, plus encore que de m'inscrire au gym.

Le moment était venu de commencer mon entraînement.

CHAPITRE 8

Mes objectifs de perte de poids et de remise en forme

Une question de perceptions

En 2002, j'avais perdu du poids en m'entraînant seule à la maison. À cette époque, je n'avais pas beaucoup d'argent et c'était très décevant de maigrir et de devoir quand même porter des vêtements trop grands. J'avais quand même réussi à me dénicher des vêtements assez jolis dans une friperie. Toutefois, je rêvais de vêtements à la mode, achetés dans de belles boutiques… et pas seulement dans les boutiques pour tailles fortes !

Quand la mode des bottes hautes est arrivée, je voulais absolument m'en procurer. Pour mon malheur, aucune paire ne me convenait : mes mollets étaient trop gros. Fallait-il que j'aille dans une boutique spécialisée ? J'étais vraiment découragée. La dernière fois que j'ai tenté d'en acheter, la botte dont la fermeture éclair ne voulait pas monter refusait de s'enlever. La vendeuse dû utiliser ses deux mains pour essayer de l'extraire de mon pied. Non, plus jamais je ne voulais faire partie d'un tel spectacle d'humiliation.

J'ai longtemps tenu un journal dans lequel je notais tous mes rêves : les voyages que je voulais faire, les livres que je voulais écrire, le poids que je voulais perdre. Mais aussi les vêtements que je voulais m'acheter ! Parfois, je me bricolais des affiches avec des images puisées dans les magazines afin de mieux visualiser mes idéaux.

De perception à distorsion

J'avais atteint un tel degré d'obésité que je m'étais mise à faire de la distorsion cognitive. Lorsque je me regardais dans le miroir, je voyais mes courbes, bien entendu, mais je ne me voyais pas « si grosse que ça ». Exactement à l'inverse des personnes anorexiques, qui, elles, se voient énormes malgré leurs os apparents. Lorsque j'allais magasiner dans les boutiques standards (par rapport aux boutiques spécialisées pour les tailles fortes), je sélectionnais sur les tablettes et les présentoirs des vêtements de taille moyenne. Parfois large, au cas.

Ouais.

Mon esprit n'avait pas assimilé que mon corps devait se vêtir de très grande taille (XL), et même de très très grande taille (XXL). Je déprimais plutôt devant l'inaction des vendeuses qui ne pouvaient m'offrir que ce qu'elles avaient en magasin. Ce n'était pas leur faute... mais je ne croyais pas non plus que c'était la mienne si je n'arrivais pas à me vêtir dans les tailles habituelles. Voyons ! Je mesurais 5 pieds 2 pouces, j'étais même « plus petite » que la majorité des clientes !

J'ai eu le choc de ma vie quand je me suis vue sur des photos de groupe, au retour de mon voyage à Barcelone. Là, j'ai su pourquoi il fallait parfois m'habiller en XXL. Je me comparais aux personnes posant près de moi et j'étais de loin la plus grosse.

J'ai mis la photo sur Facebook, sur mon iPad, sur mon frigo. J'ai voulu la mettre partout. Je voulais qu'à tout moment je puisse me rappeler pourquoi je voulais m'entraîner, pourquoi je ne voulais plus jamais peser ce poids. On n'en était plus aux collages de visualisation que j'avais faits quelques années auparavant : on était dans la réalité. Ces photographies allaient être une motivation concrète. « Regarde bien ces photos, ma Brigitte, parce que c'est la dernière fois qu'on va te photographier avec cette allure-là. »

Je me disais qu'un jour, je pourrais montrer une de ces photos de moi de moi à mon poids le plus lourd à côté d'une photo de moi à mon meilleur. C'est fait : vous les trouverez en page 267 de ce livre.

Et c'est partiii !

Une autre de mes distorsions cognitives était de croire que j'étais en forme sous prétexte que j'accomplissais plusieurs choses dans une journée…

Re-ouais.

Mon premier jour d'entraînement était arrivé. Je me suis présentée au gym avec ma bouteille d'eau et ma serviette obligatoire, même si je doutais de l'utilité de cette dernière, puisque je n'avais jamais sué de ma vie. J'étais gênée et mal à l'aise. Je me suis donc assise et j'ai attendu mon entraîneuse. Je ne la connaissais pas. Elle s'est présentée. « Moi, c'est Marjo. C'est moi qui vais t'entraîner trois fois par semaine. J'ai quelques questions à te poser avant de te faire un programme. »

Très bien.

Marjo était une jeune sportive qui n'avait pas l'air d'avoir froid aux yeux. Elle était directe, sincère. Elle m'a posé des questions sur ma santé et sur ma forme. Je lui ai dit que, même si j'étais ronde, j'étais très en forme. Je suis certaine d'avoir appuyé trop fort sur le « très », car elle a sourcillé. Hum.

Elle m'a demandé si je voulais perdre du poids. J'ai failli lui répondre non, juste pour voir sa réaction. Encore une fois, le réflexe de la petite comique qui fait des blagues sur son poids était de retour. Mais je me suis retenue.

— Oui, je veux perdre du poids.

— Combien ?

— Euh… je ne sais pas. Vingt-cinq livres ?

— OK !

Et voilà, la glace était brisée.

Marjo a pris ma pression, une étape très importante avant d'entreprendre un programme d'entraînement. Certaines personnes souffrent d'hypertension et ne le savent pas. J'ai vu un entraîneur refuser d'entraîner son client et l'envoyer voir son médecin : il venait sans doute de lui sauver la vie. Ma pression était normale.

Il a ensuite fallu que Marjo me pèse. Ma bouche est devenue sèche. Mon cœur a failli lâcher. Si j'avais pu suer, mes mains seraient devenues moites. Me faire peser ! L'humiliation totale ! Heureusement, je m'étais préparée à la maison. Si j'avais eu de la difficulté à regarder les chiffres qu'affichait mon pèse-personne en étant toute seule dans ma salle de bains, sous une lumière tamisée, c'était cauchemardesque de répéter l'expérience au gym, sous l'éclairage cru des néons.

Bien sûr, le pèse-personne se trouvait au centre du local, entre les appareils de musculation de Monsieur Gros Bras et les appareils cardio de Madame Corps Parfait. « Allez, tout le monde est invité au spectacle, la mise est ouverte ! Venez voir combien pèse la grosse nouvelle ! »

J'imaginais que l'appareil était équipé d'un micro qui annonçait mon poids en direct. Ou encore qu'il était projeté sur les différents écrans, comme dans les émissions de perte de poids, où l'on voit les candidats, la bouche ouverte, ne sachant pas si leur résultat est moche ou triple moche. Je détestais les pèse-personnes. Ça faisait deux semaines que je faisais attention à ce que je mangeais et que je n'avais pas bu d'alcool. J'avais arrêté juste avant de partir pour Barcelone. Je croisais les doigts pour que mon poids soit inférieur à 200 livres.

J'ai enlevé mes souliers et, si j'avais pu, je me serais déshabillée pour pouvoir être la plus légère possible. Marjo a mis le premier poids à 150 livres, puis elle s'est mise à faire glisser le second : 160, 170… Elle l'avançait toujours. Mon Dieu ! Est-ce que le cauchemar allait se terminer ? Non, ça continuait : 180, 190, 195, 196…

Le couperet est tombé : je pesais 197 livres.

La bonne nouvelle, c'est que j'avais perdu 6 livres depuis ma pesée à la maison. Mais j'ai quand même eu mal. J'avais le goût de fondre en larmes. J'avais honte. Marjo, elle, en avait vu d'autres et a gardé son positivisme. « Bon, bien, c'est le chiffre de départ ! » J'ai tenté de sourire, mais j'avais la gorge nouée. Oui, c'était le chiffre de départ. Et j'ai décidé que ce serait la dernière fois de ma vie que je pèserais 197 livres, tout comme j'avais décidé que je ne pèserais plus jamais 203 livres non plus.

Comme mon objectif était de perdre 25 livres, j'aspirais à afficher un poids de 172 livres. Pourquoi souffrir autant si, en fin de compte, je ne serais même pas mince ? En nouant mes lacets, j'ai regardé Marjo et je lui ai dit : « D'accord pour 25 livres, mais ce sera deux fois 25 ! Je veux perdre 50 livres. » Mon entraîneuse a acquiescé et a inscrit ce nouvel objectif sur ma fiche. « Bon, eh bien… on va commencer tout de suite ! » Petit sourire complice.

Sur le tapis roulant, j'ai compris que je n'étais pas en forme, finalement. Je marchais depuis deux minutes, à 5 km/h, et mon cœur me suppliait d'arrêter. J'avais du pain sur la planche. Je souriais à Marjo du mieux que je le pouvais. Peut-être bien que je grimaçais, pensant que je souriais… Puis, lorsqu'elle a arrêté l'appareil, elle a vu mon cœur s'emballer.

— Je pense que nous avons terminé avec le tapis pour aujourd'hui !

— Mais je me sens bien ! ai-je protesté.

Je ne mentais pas. J'étais essoufflée, mais j'étais heureuse.

— On va aller faire autre chose.

Ah, très bien. Je lui faisais confiance.

Pourquoi y a-t-il autant de miroirs dans un gym ?

J'essayais d'éviter de me regarder dans les miroirs, mais c'était impossible : dans les gyms, il y a des miroirs partout ! Puis je me suis dit : « Non ! Tu vas te regarder et tu vas voir à quoi ressemble une fille de 5 pieds 2 pouces qui pèse 200 livres ! Regarde ! Et regarde bien ! Car tu ne veux plus jamais voir ça, on se comprend ? »

Je me suis regardée et j'ai vu une fille qui était essoufflée après avoir simplement… marché. Je me suis promis de me regarder dans le miroir chaque fois que je viendrais au gym, et je me suis dit que le gym serait ma résidence secondaire pour le reste de ma vie. Le gym, mon meilleur ami !

Marjo m'a guidée vers la zone des entraînements au sol.

— On va faire des squats.

— Des quoi ?

— Des squats. Tu vas t'asseoir sur une chaise invisible.

— Ah. Facile.

J'ai rapidement révisé mon jugement quand j'ai commencé l'exercice. S'asseoir dans le vide était très difficile.

— Descends plus bas !

— Mais je vais tomber !

Mes cuisses criaient à l'aide. Je me suis aperçue dans le miroir : j'étais rouge comme une pivoine.

— Je ne sue même pas !

— Ah ! Ça viendra, fais-moi confiance ! m'a-t-elle répondu en rigolant.

J'ai ensuite dû faire des fentes. Mes cuisses étaient encore sollicitées, elles qui me suppliaient d'arrêter. Marjo m'a expliqué que le travail des plus gros muscles favorisait une plus grande dépense calorique. Ensuite, elle m'a fait faire la planche, un exercice consistant à se tenir sur les mains, comme lorsqu'on fait des pompes. Je n'ai tenu que quelques secondes.

C'est au gym que j'ai appris toute la subjectivité que représente le temps. Les 15 secondes de planche me paraissaient une éternité. J'essayais de me raisonner. Quinze secondes, ce n'est rien dans une vie ! Oui, mais dans la position de la planche, c'est interminable.

Souffrant !

INTENABLE !

Aujourd'hui, quand j'entends un débutant dire qu'il va « commencer par courir pendant 5 minutes » en s'imaginant que ce sera court, je ne peux m'empêcher de sourire. Après 30 secondes de course, quand il me regarde, le rouge aux joues et le souffle court, je sais qu'il a lui aussi compris la relativité du temps.

Après ce début d'entraînement, on est retournées s'asseoir, cette fois sur de vraies chaises. Marjo n'y est pas allée par quatre chemins.

— Brigitte, il faut que tu saches que l'entraînement va t'aider à perdre du poids, mais 75 % de la réussite de ton objectif va dépendre de ce que tu vas manger. Et je ne serai pas à côté de toi pour te surveiller. Penses-tu y arriver ?

Pouvez-vous répéter la question ? Mon côté bouffon ressortait toujours, mais encore une fois, je ne l'ai pas laissé monopoliser l'attention. On n'en était plus là.

— Oui. Je vais y arriver.

Une entraîneuse indispensable

Mon deuxième entraînement a été encore plus pénible que le premier. J'étais tellement courbaturée que j'avais l'impression que mon corps n'était qu'une énorme ecchymose. Je ne pouvais pas me pencher et je descendais les escaliers en faisant des grimaces. Je ne pouvais pas croire que j'allais m'entraîner de nouveau. Marjo a bien ri quand elle m'a vue. « Ça va passer ! C'est normal ! » Normal ? Jamais je n'allais survivre à tant de souffrances !

Marjo m'a convaincue que ce n'était que passager et que d'ici quelques jours, tout allait rentrer dans l'ordre. Qu'on allait travailler les muscles de mes bras et laisser mes pauvres cuisses tranquilles (pour l'instant). C'est ce que nous avons fait. Les deux jours suivants, le simple fait de lever une fourchette me faisait grimacer. Ah ! C'est donc comme ça que j'allais maigrir : en devant souffrir pour me nourrir !

Les exercices cardiovasculaires, quant à eux, ne pouvaient être reportés : il fallait que je persiste. Elle m'a invitée à utiliser l'exerciseur elliptique. Je pensais que ce serait facile, mais finalement, je me rendais compte que tout pouvait être facile ou difficile. C'était la manière de s'entraîner qui déterminait l'intensité. Elle privilégiait un travail par intervalles : je marchais une minute, puis je courais 30 secondes, et ce, pendant un laps de temps déterminé. Ce type d'entraînement m'a rapidement fait progresser. J'aimais ça, car le temps passait plus vite ainsi.

Après quelque temps, les courbatures ont disparu. Et lorsqu'elles revenaient, c'était uniquement parce que j'avais ajouté un nouvel exercice à ma routine. Sincèrement, les douleurs ne m'importunaient plus. Marjo était indispensable à ma persévérance : je lui faisais part de mes questionnements et elle avait toujours une bonne réponse franche à me donner. Quand elle m'a dit que je n'aurais plus mal après quelques jours, elle avait raison. Si j'avais été seule dans mon sous-sol, j'aurais cessé de m'entraîner, persuadée que les douleurs seraient permanentes.

Comme bien des gens, je ne connaissais rien à l'entraînement. La nouveauté suscite parfois la peur, mais elle peut aussi à nous faire faire de mauvais choix.

Sur ce chemin périlleux, j'étais bien guidée. Je ne me suis jamais blessée, même si mon corps était grandement sollicité. Marjo savait quand je devais m'arrêter et je l'écoutais.

Avoir quelqu'un qui m'attendait au gym était très motivant. Mais on pourrait croire à tort que c'était la méthode infaillible pour rester motivée. Non ! Ma motivation était intérieure. Je connaissais plusieurs personnes qui avaient un entraîneur privé et qui ne se présentaient pas au rendez-vous. Je connaissais plusieurs personnes qui obtenaient l'aide d'un entraîneur privé et qui ne perdaient pas de poids. Je connaissais aussi certaines personnes qui pensaient que s'entraîner avec un ami était un gage de succès ; or, si l'ami en question n'était pas libre, les heures d'entraînement tombaient à l'eau.

Mon entraîneuse m'aidait, mais elle ne faisait pas le travail à ma place. J'étais responsable de moi-même. Les jours d'entraînement, je devais me préparer, sortir de chez moi, me donner à mon maximum dès que j'arrivais sur place ; mon entente avec moi-même consistait aussi à bien manger durant toute la semaine.

Quelques chiffres

Deux semaines après le début de mon entraînement, on a pris mes mensurations et on a mesuré mes plis cutanés. Je ne sais pas pourquoi on se pèse en livres et on se mesure en centimètres. Ce doit être pour éviter les décimales.

Poids : 192 livres

Tour de taille : 101 cm

Tour de hanches : 116 cm

Masse grasse : 41,5 % (la normale chez les femmes se situant autour de 27 %)

Pouls au repos : 73 battements/minute (normal)

Même si je me dirigeais vers la bonne direction, j'avais l'impression que le chemin serait cahoteux et pénible. Mais j'étais fière de moi, je m'étais mise en route vers une destination qui me plaisait.

Qu'est-ce qu'on mange ? Et surtout, combien en mange-t-on ?

Je ne savais pas comment perdre du poids sans faire un régime. Je me rendais compte que je ne savais rien sur l'alimentation. Le nombre de calories que je devais consommer et que je devais dépenser chaque jour était un mystère pour moi. Pourtant, il s'agit d'un simple calcul mathématique.

Il fallait que je dépense plus de calories que j'en consommais. Je n'avais tout simplement jamais envisagé la perte de poids sous cet angle !

Dans ma tête, il y avait les aliments qui font perdre du poids et ceux qui en font prendre. Mais là, je venais de découvrir qu'il n'était pas nécessaire de renoncer à une catégorie d'aliments… ni de s'astreindre à consommer de la soupe aux choux pour le reste de sa vie !

Marjo m'avait suggéré de ne pas ingérer plus de 1500 calories par jour. Ça m'apparaissait beaucoup. Quelques années auparavant, j'avais rencontré des nutritionnistes, notamment dans le cadre d'un examen médical complet. L'une d'elles avait estimé qu'une diète fournissant 1200 calories par jour serait idéale pour moi. J'en ai discuté avec Marjo. « Devrais-je manger moins si je veux perdre 50 livres ? » Marjo m'a mise en garde : « C'est à toi de le déterminer, mais avec 1500 calories, en plus de tes quatre heures d'entraînement hebdomadaire, tu devrais perdre une ou deux livres par semaine. »

La diète de 1200 calories, visiblement, ne s'adressait pas à une personne qui s'entraînait : j'ai rapidement compris que 1500 calories, c'était le minimum pour que mon estomac ne « s'autodigère » pas au bout de la journée.

Mon précieux petit cahier

Pour me conformer à cette contrainte, j'ai lu un livre[1] populaire traitant de la perte de poids dans lequel les aliments et les menus étaient très bien détaillés. Chaque jour, je notais dans mon petit cahier tous les aliments que je mangeais ainsi que leur valeur calorique. Lorsque certains aliments ne figuraient pas dans mon livre, je consultais le tableau des valeurs nutritionnelles affiché sur l'emballage. J'ai aussi consulté Internet pour obtenir de l'information plus précise. J'avais déjà suivi un programme d'amaigrissement Weight Watchers, qui était basé sur un calcul de points. J'étais donc habituée à tenir des registres, même si calculer les calories de tout ce que je mangeais me semblait ardu.

J'ai vite compris qu'on atteint rapidement le cap des 1500 calories. À moins que je ne mange que des légumes, les calories s'additionnaient à une vitesse folle. Je ne m'étais jamais arrêtée à calculer tout ce que je mangeais. C'était

---

1 Voir les références, en page 268.

un exercice exigeant qui demandait de la rigueur. J'aurais pu tricher, indiquer de mauvais chiffres pour me permettre de manger davantage, mais ç'aurait été ridicule. Ce cahier-là, personne ne le consulterait, pas même Marjo. À quoi bon tricher ? J'avais entrepris cet exercice pour changer ma réalité. Alors, oui, il y a eu des jours où le total des calories était nettement au-dessus de l'objectif ; le bon côté, c'est que le cahier montrait que j'étais honnête avec moi-même.

En fait, je constate aujourd'hui que le fait de calculer la valeur calorifique de mes repas et de mes collations était similaire à me regarder dans le miroir. Mais au lieu de me regarder de l'extérieur, je regardais une radiographie de ce que j'ingérais. « Dis-moi ce que tu manges, je te dirai qui tu es. » En sachant de quels aliments je me nourrissais, je découvrais comment m'y prendre pour modifier mon alimentation, en écartant ce qui me causait du tort. Je ne rejetais pas tout en bloc, j'allais pouvoir garder les habitudes qui m'étaient favorables.

En m'informant sur la quantité d'aliments que je devais consommer pour perdre du poids, j'ai décidé de diminuer mes portions. La première fois que j'ai déposé mon repas dans l'une de mes belles grandes assiettes, j'ai eu l'impression de manger la ration d'un enfant de 3 ans. Après avoir soupiré devant ma misère, j'ai décidé de transférer mon repas dans une assiette à dessert. Ç'a été beaucoup mieux. J'avais l'impression d'en avoir beaucoup plus à manger. Dès lors, j'utiliserais une petite assiette pour me servir. Et ça m'a beaucoup aidée. J'avais l'impression de manger une bonne portion.

L'apparence influence vraiment ma pensée.

Tenir un journal de bord a été la meilleure façon de me connaître davantage. J'y notais mon poids, ce que je mangeais dans la journée, le nombre de calories par aliment, la journée du mois où je me situais par rapport à mon cycle menstruel et l'exercice que je faisais. Ça m'a permis d'apporter des changements à mes habitudes, des changements que j'ai pu conserver avec le temps. Avant, au déjeuner, j'avalais deux rôties de pain blanc tartinées de margarine et de confiture, un café avec du lait 2 % et du sucre. J'avais essayé de suivre des menus pour la perte de poids où le déjeuner consistait à manger des fruits accompagnés de noix ou des œufs. Je n'avais pas réussi à tenir le coup : je n'aimais pas ces combinaisons-là le matin, ce n'était pas à mon goût. Par contre, je mange désormais deux rôties de pain de blé entier, du beurre d'arachide (un conseil de ma nutritionniste, qui veut que je mange des protéines le matin pour me soutenir), de la confiture légère, et un café sans sucre avec du lait écrémé. Certaines personnes aiment varier leur menu chaque jour et c'est encore mieux, mais moi, je suis plutôt routinière. Le matin, le pain m'apporte du réconfort. J'ai donc conservé cette habitude, mais je l'ai transformée. À quoi bon gaspiller des calories pour tartiner mes rôties de margarine ou pour ajouter du sucre dans mon café, quand je peux les supprimer sans que ça me dérange réellement ? Ces calories-là, j'aime mieux les investir ailleurs, comme dans un dessert un peu plus gourmand après le souper. Car oui, j'ai encore la dent sucrée !

Compter ses calories en consultant Internet est un jeu d'enfants, dans la mesure où l'on indique la bonne portion. J'ai été surprise d'apprendre qu'une datte séchée contenait 25 calories, et que quinze noix en renfermaient environ 80. C'était très instructif, car je croyais que « bien manger » suffirait pour me faire perdre du poids. Là, je réalisais que non seulement il fallait faire de bons choix d'aliments, mais qu'en plus, il fallait surveiller la quantité que l'on ingérait. Trop manger, que ce soit des aliments santé ou non, c'est trop manger quand même.

Perdre seulement une ou deux livres par semaine m'apparaissait très peu. Je faisais la comparaison avec les émissions de perte de poids, où les participants perdaient une quinzaine de livres dès le début de leur entraînement. J'avais à peine commencé à m'entraîner que j'étais atterrée par le temps que ça me prendrait pour atteindre mon objectif. Le poids de mon corps me pesait tout d'un coup encore plus. Car j'étais consciente que mon degré de motivation allait nécessairement baisser au fil du temps et que je devrais quand même rester fidèle à mon programme si je voulais atteindre mon but.

Plus ça me prendrait de temps pour atteindre mon objectif, plus il y avait de risques que je décroche. En même temps, je n'étais pas consciente que plus ça prenait du temps, plus mes nouvelles habitudes s'ancraient en moi.

Droguée aux endorphines !

Je m'entraînais avec Marjo trois heures par semaine, et j'ajoutais à cela une heure d'entraînement à l'extérieur du gym. J'ai décidé d'augmenter la cadence. Ce n'était pas pour perdre du poids encore plus rapidement, mais parce que je prenais vraiment goût à l'exercice. J'ai déjà mentionné que j'étais une compulsive : eh bien, je développais une véritable passion pour le conditionnement physique, et, comme avec mes autres passions, je me lançais dans celle-ci avec beaucoup, beaucoup d'enthousiasme…

En fait, j'étais simplement en train de passer d'une obsession à une autre. Je remplaçais la compulsion de manger par la compulsion de m'entraîner. Pour moi, c'était une bonne chose.

Je me suis donc mise à aller au gym deux heures de plus par semaine. Je répétais le programme d'exercices que Marjo avait mis au point. Je m'améliorais très vite ; mon entraîneuse était fière de moi. Sa gratification était ma récompense.

Je me suis aussi inscrite à des cours de groupe. Au début, j'éprouvais des difficultés à cause de tous les miroirs dans la pièce. Je trouvais ça vraiment difficile de voir mon reflet à côté de personnes qui affichaient un corps parfait. Bien sûr, ce n'est qu'une perception. Qu'est-ce qu'un corps parfait ? Mais quand j'étais grosse, un corps plus petit que le mien était un corps parfait !

Les cours de groupe m'ont fait du bien. Peu à peu, j'ai apprivoisé mon image, et le fait que je perdais un peu de poids chaque semaine me donnait du courage. Ce qu'il y avait de bien, c'est que l'heure semblait passer beaucoup plus vite en groupe que lorsque je m'entraînais seule. Il y avait aussi certains défis qui s'installaient lors des activités de groupe : comme je suis quelque peu compétitive, j'avais le goût de me surpasser. Je ne voulais pas avoir l'air de la grosse femme qui n'était pas capable de suivre, alors je donnais mon 110 %. Je finissais la séance avec un teint écarlate : comme mon corps ne transpirait pas, il surchauffait. Oh, le miroir n'était pas tendre avec moi ! Je me suis inscrite à presque tous les cours de groupe, de la danse à l'entraînement militaire (*boot camp*), en passant par le yoga. Je me donnais à fond. Plus j'en faisais, plus j'aimais ça. Ça me permettait de varier mes entraînements et de rester motivée.

Ma nouvelle copine : la montre cardio

Ma démarche de perte de poids était sérieuse et j'avais choisi de m'appuyer sur tous les outils disponibles pour y arriver. Un achat qui m'a été très profitable a été une montre cardio munie d'une ceinture thoracique, qui mesurait mon rythme cardiaque et ma dépense de calories à l'effort. Plus l'intensité de l'exercice est élevée, plus la dépense d'énergie est grande. Je l'ai portée pendant près de deux ans. Maintenant, je connais si bien mon corps que je peux dire, avec une très légère marge d'erreur, à combien se situe mon rythme cardiaque, quelle que soit l'activité. Ainsi, dès que je commence à être essoufflée, je sais que je commence à travailler à une intensité plus grande. La gradation se traduit ensuite par une sensation de brûlure au niveau des poumons et, finalement, quand j'atteins la zone d'intensité d'effort presque maximale, je ressens toujours des frissons : je sais alors que mon cœur bat à 180 battements/minute.

De la même manière que mon journal alimentaire m'a permis de m'alimenter en respectant mes besoins quotidiens et d'observer la réaction de mon corps à la suite de l'ingestion de certains aliments, la montre m'a aidée à connaître mon rythme cardiaque, de sorte qu'on a pu me construire un programme d'entraînement efficace. Au début, Marjo me faisait toujours porter la ceinture thoracique pour observer mon pouls : elle pouvait ainsi ajuster la vitesse du tapis roulant ou encore me demander d'être plus rapide sur l'elliptique, le but étant que je fournisse le bon degré d'effort pour obtenir des résultats pertinents. J'avais estimé que mon objectif serait atteint en sept ou huit mois : je me voyais déjà, au printemps suivant, un paquet de livres en moins.

Et mes amies ont profité de l'occasion pour me taquiner : elles m'appelaient « l'auteure qui perd ses livres »…

Ma réconciliation avec le pèse-personne

Un autre de mes objectifs était de me réconcilier avec le pèse-personne. Je sais que l'on dit qu'il vaut mieux se peser une seule fois par semaine. Par contre, pour mieux me connaître, j'avais décidé de le faire tous les matins. Même ceux qui suivraient les repas plus riches de la veille. Pourquoi ? Pour comprendre la fluctuation de mon poids, qui ne correspond pas nécessairement à une perte de gras ou à une prise de poids, surtout quand on est une femme. Durant leur cycle menstruel, plusieurs femmes enflent pour différentes raisons hormonales ; ce gonflement contribue à faire monter l'aiguille du pèse-personne, mais ce n'est pas nécessairement en raison d'un gain de graisse. Ce peut aussi être de la rétention d'eau, tout simplement.

Il fallait donc que j'apprivoise tout ça.

C'est en me pesant régulièrement et en inscrivant les données dans mon cahier de bord que j'ai constaté que je mangeais davantage durant les fins de semaine. Le lundi, j'affichais toujours un peu plus de poids que le vendredi.

Alors, je redoublais d'efforts pour perdre cet excès durant la semaine.

Il fallait aussi que je détermine si j'avais encore des pertes de contrôle sur le plan alimentaire, et, dans l'affirmative, quelles circonstances étaient liées à mon dérapage et quels aliments j'avais mangés. Se pouvait-il que certains aliments plus sucrés déclenchent en moi une réaction indésirable ? Effectivement, j'ai pris conscience qu'après avoir mangé quelque chose de très sucré, comme des biscuits ou de la réglisse, s'ensuivait une faim difficilement contrôlable. J'ai aussi constaté que je perdais le contrôle sur mon alimentation la veille de mes règles. Je mangeais sans pouvoir m'arrêter. En apprenant à me connaître, j'ai compris que cette réaction était passagère et circonstancielle. Donc, peu à peu, j'ai appris à faire confiance à mon corps, et mon corps a appris à faire confiance à mon esprit. Un travail d'équipe venait de commencer.

J'ai aussi découvert le bien-être ou le malaise corporel que me causaient certains aliments. Surprise ! Le sucre présent dans les aliments transformés, lorsque j'en consommais de trop grandes quantités, m'était très néfaste. Mon corps réagissait très mal à cet excès : j'avais presque aussitôt des douleurs lombaires et un sentiment de malaise général, sauf si je faisais de la course ou toute autre activité intense dans les quinze minutes qui suivaient l'ingestion.

J'ai donc décidé d'inscrire dans mon carnet chaque activité que je pratiquais et je lui attribuais une dépense calorique. Ça m'a beaucoup aidée à ne pas surévaluer la perte de calories subséquente à un entraînement et ça me motivait. Jour après jour, je pouvais voir le contenu de mes séances d'entraînement et les bienfaits que cela m'apportait.

Au centre de ma propre vie

Je suis retournée aux études en 2012. Je me suis inscrite à un baccalauréat en psychoéducation, à l'Université de Montréal ; j'en suis à ma deuxième année. Je m'entraîne et je participe à des défis sportifs, à des courses, à des demi-marathons, à des triathlons.

Je suis heureuse. Je passe du temps avec ma famille, mais je me permets maintenant de combler mes désirs en premier.

J'ai quatre enfants dont je suis très fière : Gabrielle a 22 ans ; Étienne, 21 ans ; Marie, 15 ans et Laurent, 14 ans. Je les aime énormément. Ils sont tous différents et c'est pourquoi je les apprécie. Je suis loin d'être la mère parfaite que j'aurais aimé être, mais ça leur donne au moins le plein droit d'être des enfants imparfaits. Je sais que je suis parfois dure avec eux, mais j'ai mon histoire et ils auront la leur.

Je suis aussi la grand-mère d'une adorable fillette de deux ans et demi. Mon fils, Étienne, est un bon papa. Il a développé une belle relation avec sa fille. J'aurais aimé avoir cette relation avec mon père. Layla est chanceuse d'avoir de bons parents.

Puisque j'ai pris plus de la moitié de ma vie à élever mes enfants, j'ai décidé de prendre maintenant du temps pour moi. Et j'espère que ce livre motivera d'autres personnes à prendre soin d'elles, même si elles sont déjà extrêmement occupées.

Moi, je prends soin de moi au moyen du sport. Par contre, si vous trouvez votre motivation dans la cuisine, le tricot ou toute autre passion, l'important est que ça vous apporte du bonheur et que vous vous sentiez bien.

CHAPITRE 9

Les obstacles que j'ai rencontrés et le soutien qu'on m'a donné

Déterminer des plages horaires pour mes périodes d'entraînement était un défi en soi. Entre les cours de gymnastique ou d'équitation des enfants et les parties de soccer, il ne restait pas beaucoup de temps pour moi.

Dans un avion, les agents de bord nous expliquent qu'en cas de dépressurisation dans la cabine, un adulte doit d'abord mettre son masque à oxygène avant d'aider son enfant à mettre le sien. En effet, on n'est d'aucun secours à son enfant si on perd conscience devant lui. J'allais donc appliquer ce principe à ma vie personnelle : j'avais besoin d'oxygène, et j'avais besoin de prendre soin de moi si je voulais continuer à prendre soin des autres. Je me suis dit que j'étais importante. J'ai donc réservé des plages horaires dans le calendrier que je consacrerais à mon entraînement. On parle ici de 4 heures dans une semaine qui en compte 168 ! Ouf !

Malgré tout, j'ai joué du coude et, semaine après semaine, j'ai tenu à m'accorder ce temps, à gérer mon espace et à assurer mon bien-être.

Bien sûr, cette gestion difficile de l'horaire familial aurait pu être une excuse pour m'arrêter. Heureusement, Patrice et moi avons trouvé le moyen que ça fonctionne.

Ah ! Les tentations !

S'il était plutôt facile de bien manger et de me servir des portions raisonnables durant la semaine, il était plus difficile d'être fidèle à ma discipline durant les fins de semaine, où les sorties au restaurant étaient nombreuses au calendrier. Ça m'a demandé une volonté de fer ! Les corbeilles de petits pains ronds et chauds n'ont jamais été aussi tentantes ! Je devais me faire violence pour ne pas tendre la main, il fallait que je me raisonne. J'adore le pain, c'est vraiment mon péché mignon. Je pense que j'aurais pu vivre de pain et de vin toute ma vie. Mais voilà : j'étais en processus de perte de poids, et toutes les calories que j'absorbais devaient être dépensées. J'évitais également de manger tout ce qu'il y avait dans mon assiette. Trop souvent, la quantité d'aliments offerte est tellement démesurée qu'elle peut facilement représenter de deux à trois fois l'équivalent d'une portion normale.

Cependant, la tentation de me laisser aller aux « exceptions » ne m'a jamais effleuré l'esprit. Jamais je ne me suis dit que ce n'était pas si grave d'engraisser d'une livre en me permettant de manger un peu plus. Non ! Je connaissais désormais la valeur d'une livre. Je savais que ça me prendrait quatre heures d'entraînement pour perdre cette livre ! Quatre heures ! Je pense que les gens qui ont vécu une perte de poids importante échelonnée sur des semaines, des mois et des années d'exercices physiques souffrants ne sous-estiment plus une livre en trop. Je me souviens toujours de ça, surtout pendant la période des Fêtes.

Ce qui m'aidait aussi beaucoup à rester motivée, c'était de regarder les contenants de margarine de 2 livres à l'épicerie et de visualiser que c'était 2 livres que je devais supprimer de mon corps.

Semaine après semaine, je me plantais devant le comptoir réfrigéré et j'évaluais mes progrès. L'équivalent de combien de contenants de margarine avais-je perdu cette semaine ? Au bout d'un an, j'avais finalement perdu l'équivalent de 35 pots. Soixante-dix livres ! Le chiffre sur le pèse-personne avait un effet-choc, tandis que l'image de 35 contenants de margarine valait mille mots. Alors, quand j'engraisse de 2 livres et que je vois ce que ça représente en volume, ça me motive à courir plus vite sur le tapis roulant.

Je devais aussi me tenir loin du garde-manger. J'avais toujours eu tendance à manger quand je m'ennuyais. Alors j'ai décidé qu'il fallait que je reste occupée.

J'allais marcher dans le quartier. J'allais magasiner. J'allais me promener en montagne. L'idée était de ne pas rester à proximité du garde-manger.

Mon corps, mon allié

J'essaie maintenant d'être vraiment attentive aux signaux de mon corps. Les nutritionnistes nous répètent qu'il faut reconnaître le sentiment de satiété pour savoir quand s'arrêter de manger. Pour ma part, je me demandais, avant de me préparer un repas ou une collation, si j'avais vraiment faim. Est-ce que je mangeais parce qu'il était l'heure de dîner ou bien par appétit ? Est-ce que j'avais envie de grignoter le soir car j'avais faim ou parce que mon esprit avait été stimulé par une publicité alimentaire à la télé ? Je savais que mon père mangeait beaucoup devant l'écran. Il faut savoir reconnaître les pièges et les tentations sur notre parcours et trouver le moyen de les éviter.

Avant, je me récompensais et je me réconfortais beaucoup avec la nourriture. Une tarte au sucre est si vite mangée et fait tellement du bien à l'âme ! J'ai appris à me récompenser autrement.

Une récompense doit nous apporter une satisfaction, mais doit aussi nous être profitable. Or, la quantité de sucre que j'avalais était devenue nuisible pour ma santé. Et on ne peut pas s'empêcher de se nourrir. C'est probablement pourquoi il est si difficile de vivre avec un trouble de l'alimentation. La consommation d'aliments est quelque chose de vital. On ne peut pas dire « J'arrête de manger » comme on peut dire « J'arrête de boire de l'alcool. » Non. Il faut composer avec le problème.

Je conçois parfaitement qu'il est difficile de comprendre les gens qui ont des problèmes de compulsion alimentaire. On aurait envie de dire « Elle n'a qu'à manger une pomme au lieu d'une tarte au sucre et le problème sera réglé. » Mais ça, c'est la pensée magique : la pomme ne remplace pas la tarte. Ce n'est pas parce que ce sont deux aliments que le corps et l'esprit les perçoivent de la même façon. C'est comme recommander à un alcoolique de boire de l'eau s'il a soif...

Hier, j'ai mangé quelques calmars frits. Eh bien, moi qui carburais aux frites, aux croustilles et aux viandes panées, je ne les ai pas digérés. Mon estomac n'accepte plus la friture ! Mon corps me parle et je l'écoute : nous travaillons en équipe. Je ne crois pas que je mangerai ce type d'aliments gras de sitôt : ma tête et mon corps n'en veulent plus. Comme pour le vin, j'ai perdu le goût.

Par ailleurs, en portant suffisamment attention à ce que je ressens, je peux apporter les nutriments nécessaires à mon corps. Par exemple, je sais si mon corps manque de protéines, car je ressens des nausées. Il me faut alors choisir une collation appropriée en attendant le prochain repas.

Cela dit, je ne me suis pas improvisée spécialiste de la nutrition. Il n'était pas question que je souffre de carences comme ç'avait été le cas au cours de mes périodes végétariennes ! À chacun ses compétences ; c'est pourquoi, au départ, j'ai fait confiance à une nutritionniste pour me guider dans la sélection des aliments les plus pertinents à ma diète, qui était limitée à 1500 calories par jour.

Des changements permanents

Cette fois, pas question de penser que j'allais perdre du poids pour le reprendre plus tard. J'ai décidé que mon attitude allait être positive. Non seulement je deviendrais une femme en forme comme jamais je ne l'avais été, mais je le resterais et je vieillirais en santé. Voilà ce que je postulais ! Alors, au fur et à mesure que je maigrissais, je m'achetais des tenues seyantes et je donnais mes vêtements devenus trop grands. Cette fois, pas question de les garder en prévision de les remettre.

J'ai fini par cerner mon *modus operandi* : après un régime, je me remettais toujours à manger « normalement », ce qui signifiait trop et mal. Alors je recommençais vite à reprendre du poids. Quand je me sentais coincée dans mes nouveaux vêtements, je retournais en douce dans mes anciens vêtements, jusqu'à ne plus pouvoir en sortir. Conserver des vêtements trop grands dans ma garde-robe représentait une permission d'engraisser de nouveau. Bien entendu, c'était un geste inconscient, mais c'était quand même bien présent.

Cette fois, je ne me permettais pas cette option. Je maigrissais pour de bon et j'allais porter les vêtements qui me faisaient, point à la ligne. J'étais et je resterais en forme. Et au moment d'écrire ces lignes, je peux dire que j'ai réussi. Et je vais continuer. J'ai maintenant 46 ans, et j'ai presque hâte d'en avoir 70 pour pouvoir m'inscrire à des courses et dire : « Je suis toujours en forme. »

Ma garde-robe, mon baromètre

Pour moi, la taille du vêtement est importante. Elle m'indique si je suis dans la moyenne ou si j'affiche une taille au-dessus de la moyenne. Ça fait bientôt trois ans que j'habille du petit, ce qui est dans la norme puisque je suis de petite taille. Jamais, dans ma vie d'adulte, je n'avais porté des vêtements *small*. Pour moi, c'est une récompense et en même temps un garde-fou. Puisque ma perception de ma grosseur est variable, je dois m'accrocher à quelque chose de tangible. Ainsi, les journées où je me sens grosse et moche (oui, ça m'arrive !), je me conforte en me disant que je suis encore capable d'attacher mes pantalons taille 6.

Et ça fait trois ans que je porte enfin des bottes hautes. Si vous saviez le bonheur que j'ai ressenti la première fois que j'ai pu enfiler des bottes hautes et à quel point j'étais fière ! Mon tour de taille avait rétréci, mon gras de dos avait disparu, mes mollets avaient fondu ! Enfin, j'allais pouvoir porter d'élégantes bottes à la mode ! Superficielle, la mode ? Peut-être. Mais le sentiment de rejet engendré par le fait de ne pas pouvoir être vêtue comme je le voulais n'était pas superficiel du tout.

Quand on se sent exclue ou rejetée, on peut réagir de deux manières : soit on rêve d'être acceptée, soit on s'affirme dans le rejet. Moi, c'était clair, je voulais être acceptée.

Mes bottes hautes m'ont donné le sentiment de faire partie de la norme. Avant, je n'acceptais pas ma différence, je n'étais pas capable d'être obèse dans un monde qui valorise les corps minces, où tout est pensé en fonction des tailles « normales », comme les sièges de cinéma, les banquettes de resto, la largeur des civières, les barres de sécurité dans les manèges. Je n'avais plus la force de subir les regards condescendants.

J'admire cependant ceux et celles qui se battent pour que les corps ronds soient autant considérés que les corps minces, mais ce n'est pas la bataille que j'ai choisi de mener pour moi-même.

J'ai décidé d'afficher un poids moyen, de m'inclure à la majorité. Je suis applaudie par ceux qui font partie de ce groupe ; je suis boudée par ceux qui décident de rester dans leurs différences ; et probablement que je suis mal vue par ceux qui veulent engraisser. C'est la vie !

J'ai beaucoup souffert de ne pas suivre la mode comme je l'aurais voulu. Je voyais les boutiques présenter leurs nouvelles collections aux couleurs tendance, dont les coupes mettaient en valeur les silhouettes parfaites. Ce n'était jamais pour moi. Les jeans taille basse, les chandails bedaine, les leggins à motifs, les jupes courtes, les camisoles en soie : des vêtements sexy dans lesquels j'aurais eu l'air ridicule. Je savais bien ce que l'on disait sur les femmes rondes :

« Elle ne devrait pas porter des rayures horizontales, ça la fait paraître encore plus large ! Regarde le gros poussin jaune ! Elle ne sait pas que le noir amincit ? »

Ah ! Le noir ! À entendre les stylistes, c'est la seule couleur à laquelle on devrait avoir droit. Surtout pas de couleurs vives, sauf s'il s'agit d'accessoires. Pas de blanc, c'est pire que tout. Encore moins de rayures ou de fleurs. Pas de mini-jupes pour ne pas dévoiler les varices, et pas de camisoles pour dévoiler le gras de bras. Les vêtements doivent être suffisamment ajustés, mais pas trop. Et le tissu doit être assez épais pour ne pas que l'on devine la cellulite.

Allez suivre la mode, après ça !

Avec mon ami Claude (oui, le Hibou du camp Estivados !), je discutais de ma déception de ne pas pouvoir suivre les tendances mode, de ne pas pouvoir m'habiller comme je le souhaitais. On se définit par notre habillement, on envoie des messages. Nos vêtements, c'est notre continuité, c'est l'expression de notre personnalité : sportive, classique, membre d'un gang ou d'une équipe sportive, punk, artiste… Mais j'avais l'impression que, quelle que soit la façon dont je m'habillerais, je serais tout simplement désignée comme « la grosse ». Pas « la grosse artiste » ou « la grosse sportive ». Non. Tout simplement : « As-tu vu la grosse ? »

Le choix des tenues pour les personnes en surpoids a longtemps été limité dans les magasins populaires, alors il était difficile pour moi d'y trouver des articles qui me plaisaient vraiment. Maintenant que je peux magasiner où je le veux, que tout est à ma portée et que j'ai suffisamment d'argent pour me gâter, j'achète avec modération. Mon désir de beaux vêtements semble s'être apaisé. J'adore faire du lèche-vitrine, je profite de chaque instant. Je n'ai plus peur du rejet.

Ma personnalité a-t-elle changé depuis que mon corps est différent ? Oui et non. J'exprime maintenant plus facilement qui je suis, car l'exclusion a longtemps été un moyen de m'empêcher de m'exprimer. Mais je suis toujours la même Brigitte. Atteindre un poids santé m'a permis non seulement de retrouver ma liberté de choix, mais aussi de retrouver cette liberté d'expression qui m'a tant manquée. Plus grosse, je m'exprimais à travers mes livres, mes tableaux, mes pièces de théâtre, mais jamais par mon corps.

> Le corps a aussi un langage, mais l'obésité était un carcan pour moi. Je me sentais prise : maintenant, je me sens libre et ça n'a pas de prix.

Le goût d'aider

Jamais je ne voudrais retourner en arrière. C'est très difficile d'entreprendre une telle démarche en solitaire et de persévérer. L'accompagnement offre un soutien important. J'aime regarder des émissions qui aident les gens à perdre du poids, car au-delà du sensationnalisme, il y a une réalité souffrante et des gens impliqués.

Je suis tellement bien, maintenant. Avant d'être mince, je n'avais jamais goûté à cette énergie, à cette vitalité. J'adore ma vie telle que je la vis aujourd'hui : je fais du sport, je bouge, je mange de bons aliments, je m'exprime par ma créativité… et même par mes tenues vestimentaires ! Dire que j'aurais pu ne jamais connaître ce bien-être ! C'est pourquoi je suis sensible aux gens en surpoids qui sont mal dans leur peau et que je désire les encourager : parce que je connais tous les bienfaits que l'on peut ressentir avec des livres en moins.

Comme je suis auteure, je me demandais si les changements que j'entreprenais allaient avoir un impact sur ma créativité. « Puisque la souffrance est créatrice et que j'arrête de souffrir, est-ce que je serai capable d'écrire encore ? »

La réponse est oui : à preuve, vous tenez mon livre dans vos mains !

Je profite de ma vie, je mords dedans à pleines dents, et j'ai le goût de transmettre cette joie de vivre à ceux qui veulent la retrouver en perdant du poids. On ne peut pas savoir, à moins de l'avoir vécu, à quel point vivre de l'exclusion, entendre des commentaires blessants et des critiques, et percevoir des regards désobligeants peut, à la longue, enlever le goût de vivre. Et ça, je peux le cocher sur ma liste d'expériences de vie.

Évidemment qu'il est plus vertueux d'encourager la société à accepter les différences que d'encourager les gens qui vivent de l'exclusion à se standardiser. Cependant, dans la réalité et à court terme, quand une personne est aux prises avec un mal-être grandissant, il lui est plus facile de faire du travail sur elle-même que sur une population entière.

Maintenir mon entraînement, même en voyage

Je devais partir deux semaines en Colombie-Britannique pour faire la promotion de mes livres. J'allais visiter des classes d'immersion française. Chaque jour, je faisais de courtes présentations destinées aux petits comme aux grands.

J'ai demandé à Tracy, ma nouvelle entraîneuse, de concevoir un programme que je pourrais faire dans ma chambre d'hôtel, en alternance avec de la course en pleine nature. Cette préparation mentale a été très importante. Auparavant, l'excuse de voyager aurait probablement mis un frein à mon entraînement et à ma saine alimentation, créant par la suite une excuse valable pour arrêter tout simplement de faire attention à mes repas. Tracy a élaboré pour moi un programme de musculation en pliométrie. Aïe ! C'était souffrant ! Une série de pompes, de redressements assis, de fentes et de squats sautés. Heureusement que je pouvais compter sur Patrice, qui avait décidé de m'accompagner pour partager mes souffrances. J'imaginais ce que les gens pouvaient se dire en entendant nos plaintes derrière la porte de notre chambre !

Prince Rupert, une ville côtière située près de la frontière du Yukon, est tout simplement magnifique. Patrice et moi avons couru sur le bord de la mer et avons pu apercevoir des dizaines d'aigles à tête blanche, perchés dans de grands arbres. C'était magique ! Quelle chance d'avoir changé ma façon de vivre : sans l'exercice dans ma vie, j'aurais manqué tout ça ! Tandis qu'à une autre étape du voyage, entre les villes de Terrasse et Smitters, nous avons croisé un coyote et deux loups… qui nous ont convaincus que le mieux serait probablement de courir… dans la salle d'entraînement de l'hôtel !

Ma famille dans l'action

Ma nouvelle vie était palpitante. Je dis « ma » nouvelle vie, mais Patrice a aussi modifié ses habitudes. Quelques mois après le début de mon entraînement avec Marjo, alors que j'avais perdu du poids, il a décidé de se mettre lui aussi à l'entraînement. Les effets bénéfiques qu'il constatait chez moi l'ont convaincu de faire plus attention à sa propre santé.

Dans les faits, toute ma famille m'a suivie dans la remise en forme. Ainsi, nous nous sommes tous mis à courir. Nous nous inscrivions en famille dans les courses organisées. J'en étais fière… et je le suis encore, d'ailleurs.

Outre celui de ma petite tribu, le soutien de mes collègues a fait toute une différence. Je travaillais au Carrefour familial du Richelieu depuis 15 ans, avec une équipe de femmes fantastiques. Quand j'ai commencé à m'entraîner, elles étaient près de moi pour me soutenir. On a même fondé un petit groupe — avec Julie, Catherine et Marie-Pier, parfois Marie-Hélène — qui profitait de l'heure du dîner, trois fois par semaine, pour aller dehors alterner la marche et la course. Quand il pleuvait, nous nous entraînions à l'intérieur en montant et en descendant les escaliers, d'un pas cadencé. Pas besoin de plus. Oh, bien sûr, au début, c'était souffrant, mais comme le disait mon entraîneuse, ça ne durerait pas longtemps. Monter et descendre les escaliers du bureau ou de la maison est une activité de remplacement efficace pour garder la forme quand on n'a pas la possibilité d'aller au gym ou de courir dehors.

Mes collègues ont aussi participé à des pièces de théâtre que j'avais écrites pour aider le financement de notre organisme, dont la pièce *Me reconnaissez-vous ?*, où j'aborde directement mon problème de poids. Elles avaient interprété à tour de rôle des personnages qui avaient le même problème. Ç'a été une forme de thérapie, puisque plusieurs femmes sont préoccupées par leur image… mais toutes ne développent pas de problèmes, heureusement.

Chambre à coucher. Le personnage de Brigitte lance ses vêtements partout et les piétine. Son conjoint, Benoît, tente de la calmer.

« Ben voyons ! Relaxe, ma chérie !

— Veux-tu me lâcher avec ton « relaxe » ! Je suis tannée, écœurée, fatiguée ! Je voudrais me faire disparaître… pis en plus je suis grosse !

— Oh *boy* ! On n'est pas sortis d'ici…

— Toi, on sait ben, t'as eu des enfants, mais t'as pas eu à faire le deuil de ton corps. Moi, j'ai l'air… J'ai l'air d'une poche de patates !

Brigitte éclate en sanglots. Benoît l'entoure de ses bras musclés.

— Ben non, voyons, j'aime ça, les femmes qui sont rondes… Pis en plus, tu sais comment j'aime les patates…

Brigitte le repousse.

— C'est ça, continue ! Ça me remonte le moral que tu me trouves grosse !

— Je ne te trouve pas grosse, je viens de te dire que je t'aime comme ça !

— Ben moi, je ne m'aime pas. Va-tu falloir que je mange de l'osti de salade toute ma vie pour réussir à m'aimer ? Pis je n'ai rien à me mettre sur le dos.

Benoît sort son portefeuille et tend sa carte de crédit à Brigitte.

— Demain, t'iras magasiner. Prends ma carte.

— J'veux pas magasiner. J'VEUX MAIGRIR ! »

Cette pièce traitait de la reconnaissance de la femme, de la mère et de l'épouse. J'abordais aussi les perceptions de l'image et du rôle des femmes dans notre société occidentale. De la place qu'on occupe quand on décide de rester à la maison pour élever nos enfants et des difficultés que l'on vit. Mais, bien entendu, comme dans presque toutes mes pièces, les problèmes de poids étaient toujours mis en lumière. Ce mal-être que je vivais, je le faisais vivre à mon personnage principal.

Ah ! Les plis de peau !

En maigrissant, mon ventre s'est plissé. Heureusement, en faisant beaucoup de musculation avec mon entraîneuse, j'ai tonifié mes muscles et j'ai limité certains dégâts qu'une simple perte de poids aurait pu causer. Mais selon le poids que l'on perd, on peut s'attendre à avoir un surplus de peau.

Et ça peut être difficile à accepter.

Quand on porte des vêtements, ça ne paraît pas. Tout le monde nous félicite de notre nouvelle silhouette et valorise nos efforts. Mais quand on sort de la douche et qu'on se voit devant le miroir, l'ego en prend pour son rhume. On peut même ressentir un sentiment d'échec, une désillusion. Tout ce travail pour ressembler à ça ?

J'aurais aimé que mon corps devienne parfait, ferme, musclé et sans cellulite. Pour y arriver, je me rends compte que je devrais subir une chirurgie abdominale, parce que l'excédent de peau sur mon ventre ne partira pas autrement. Un peu moins de peau ici et là et le tour serait joué, mais…

Pour l'instant, je vis bien avec mon corps. Je me regarde et je vois un corps de femme en forme, pas parfait, fripé par endroits, descendu trop bas à d'autres, mais je ne vis pas de limitations physiques. Alors est-ce que je vais subir une opération simplement pour pouvoir porter un bikini ? En ce moment, c'est non. Si j'avais un tablier de peau qui me descendait sur les cuisses, ou si mes seins étaient encore plus bas qu'ils ne le sont, je prendrais sans doute le temps de pousser ma réflexion. C'est tellement important de se sentir bien.

L'été dernier, on m'a prise en photo une journée où je portais des shorts. On pouvait très bien voir la cellulite sur mes cuisses. Serait-il préférable de recadrer la photo à ma taille ? Ma réponse a été non, encore une fois.

Mon corps a porté quatre enfants, mon corps a accouché à quatre reprises. J'ai engraissé, j'ai maigri, et ça fait partie de ma vie. Je ne veux pas tomber dans le déni. Au contraire, je suis fière de ce que j'ai accompli.

Je ne veux pas me cacher. Je suis ce que je suis : j'ai des abdos ET de la cellulite. Brigitte et ses paradoxes, c'est tout moi !

Sur les réseaux sociaux, on voit de plus en plus circuler des photos et des vidéos de femmes qui ont décidé de se montrer telles qu'elles sont, avec leurs plis de peau, leurs vergetures, leur cellulite, leurs varices, leurs bourrelets, leurs cicatrices, leurs rondeurs, et leur maigreur, aussi. Il y a un processus de prise de conscience d'enclenché : on peut être bien dans sa peau avec un corps imparfait. Cependant, tout le monde a ses limites et il faut les respecter.

Longtemps, lorsque j'étais obèse, j'ai été celle qui découpait les photos pour ne pas qu'on me voie. Aujourd'hui, sur ma page Facebook, on peut me voir en tenue d'entraînement, avec de la peau flasque autour de mon nombril. Je n'étais pas bien avec mes rondeurs, je suis bien avec de la peau molle au bas du ventre. L'appréciation est subjective.

Le goût des choses

Trouver le juste équilibre est pour moi une mission de vie.

Je ne veux pas souffrir de la faim, et je ne veux pas mourir d'obésité.

Entre les deux, où est-ce que je me situe ? Quelle est ma zone de confort ? Je pense que c'est la quête de bien des gens.

Patrice me dit souvent : « Tu ne te prives pas de manger, Brigitte ! » Il a l'impression que je mange tout ce que je désire tout le temps. C'est plus ou moins vrai. J'ai une alimentation variée, je mange souvent pour éviter la sensation de faim, mais je trouve difficile de ne pas toujours pouvoir manger TOUT ce que j'aurais envie de manger. Comme je le disais au sujet de ma perte de poids, il est facile de consommer 1500 calories par jour. C'est pour cette raison que, durant les fins de semaine, je me permettais des repas plus caloriques… mais pas au point de cuisiner tout ce dont j'avais envie.

Il est vraiment important que je me fasse plaisir et que je mange des aliments que j'aime, comme l'amandine que je me réserve pour le samedi matin.

J'y pense tout au long de la semaine (on se rappelle que j'ai la dent très sucrée) et ça m'aide à tenir le coup. On dit que plus on se prive d'un aliment, plus on a le goût de l'interdit. Or, justement, je suis contre le fait de démoniser les aliments. Je choisis donc de faire des choix intelligents basés sur l'équilibre. En m'informant sur la valeur nutritionnelle de chaque denrée, j'ai pu faire de meilleurs choix à l'épicerie. Lire la liste des valeurs nutritionnelles d'un aliment est maintenant une habitude pour moi, tout comme celle de calculer mes calories. Je n'ai renoncé ni au pâté chinois ni à la pizza, mais je me limite à de petites portions que j'accompagne d'une salade verte ou d'une assiette de crudités. Mon alimentation est variée : je mange même du chocolat noir à plus de 70 % de cacao ! Puisque je sais que quatre morceaux représentent 250 calories, je l'inscris dans mon petit cahier afin de ne pas dépasser ma limite et d'ajuster le reste de mes repas et de mes collations en conséquence.

De plus en plus de restaurants offrent une liste indiquant le nombre de calories que leurs produits contiennent. Je pense que ça correspond à notre nouvelle réalité de consommateurs dans une société de plus en plus obèse. Le nombre de calories que contient un repas devient comme un modérateur dans notre prise de décision. Si je constate qu'un gratin dauphinois me fera consommer 90 calories par bouchée, je vais d'abord me demander si j'ai vraiment envie d'en commander. Et si la réponse est oui, je pourrai me limiter à une petite part.

Par exemple, je consomme beaucoup plus de légumes et de fruits frais que d'aliments transformés, alors qu'avant, c'était le contraire. Il n'est pas rare non plus que je mette du chou râpé sous ma sauce à spaghetti plutôt que des pâtes. D'abord pour le goût (j'aime ça, le chou !), mais aussi parce que je peux remplir mon assiette (1 tasse de chou représente 25 calories), ce qui satisfait la gourmande en moi. D'autres utiliseront de la courge spaghetti ou des fèves germées… ce qui me tente moins. Je ne vais quand même pas m'astreindre à manger un aliment que je n'aime pas sous prétexte qu'il est peu calorique.

J'aime le côté pétillant des sodas ; je retrouve le même bonheur en buvant une eau gazéifiée parfumée à la lime ou au pamplemousse. Ce n'est pas du tout calorique, ç'a du goût et ça me satisfait. J'ai aussi planté des fines herbes dans mon jardin et je les utilise souvent dans mes plats. Ça rehausse le goût d'une salade ou d'un mets en moins de deux. J'ai aussi découvert le gingembre et j'en ai fait un allié de mes sautés de légumes et de mes potages. Moi qui n'aimais pas cuisiner !

Combiner entraînement, études et repas

Je ne me permets jamais d'avoir faim. Si j'ai faim, je mange. C'est un contrat entre mon corps et moi : il me supporte et je ne l'abandonne pas. La seule règle est de manger sainement et en quantité raisonnable. Ça, j'avoue qu'à long terme, la gourmande en moi a souvent eu le goût de se rebeller ! Aussi, quand j'étudie, je dois toujours avoir quelque chose à grignoter sous la main : des carottes ou des graines de soya valent mieux qu'une galette à l'avoine lorsqu'il s'agit de l'urgence de calmer mon estomac. Je bois également beaucoup d'eau.

Je m'entraîne généralement vers 18 h ; il n'est donc pas logique de manger un repas lourd à 17 h. Je vais plutôt collationner, puis souper à mon retour. Cependant, je n'irai jamais courir sans avoir mangé, et je ne saute jamais de repas : j'aime beaucoup trop manger pour me priver de ce plaisir ! Même si l'on me disait que je maigrirais davantage, je n'irais pas m'entraîner à jeun. J'aime fournir à mon corps les nutriments dont il a besoin pour sentir cette énergie quand je m'entraîne. J'aime sentir que mon corps déborde de vie et qu'il a le goût de bouger. Je ne veux pas me sentir fatiguée, et quand je ne mange pas suffisamment, c'est ce qui m'arrive. C'est pour cette raison que je tente du mieux que je le peux d'écouter mon corps et que je ne ferai plus jamais de régime.

Pour moi, calculer mes calories ne consiste pas à faire un régime ; c'est comme faire le budget de mon corps pour maintenir l'équilibre entre les gains et les dépenses. Me priver de manger ce que j'aime : ça, c'est faire un régime. Mon corps ne mérite pas de subir des privations.

Patrice a remarqué que je mange souvent. Au début de mon entraînement, je ne mangeais pas de collations. Maintenant, mon corps est habitué à un apport régulier en calories. Ainsi, le matin, avant de partir pour l'université, je m'assure d'avoir suffisamment de collations dans mon sac pour ne pas manger n'importe quoi à la cantine simplement pour calmer mon corps qui a trop faim. En ayant des noix et un fruit sous la main, je ne suis pas à la merci des tentations. J'ai toujours un sachet de noix dans mon sac à main ; si je suis prise dans le transport en commun, je suis certaine de pouvoir apaiser ma fringale. J'ai même déjà mangé une pomme que j'avais dans mon sac pendant un déjeuner-causerie, car les gestionnaires avaient uniquement commandé des croissants, des beignes et des viennoiseries. On peut décider de ne pas en manger ou de s'asseoir le plus loin possible des plateaux alléchants, on n'a pas moins faim pour autant !

Tenir bon à l'entraînement

Au début de mon programme d'entraînement, les vingt premières minutes étaient consacrées au cardio, puis j'enchaînais avec vingt minutes de musculation.

Je détestais ça.

Premièrement, les appareils de musculation étaient situés dans une zone du gym où il y avait plus d'hommes. J'étais boulotte, j'étais maladroite (donc j'avais très peu d'intérêt pour ces appareils), et j'étais énormément mal à l'aise de m'exposer aux regards de ces hommes forts. Sans compter que les murs étaient littéralement tapissés de miroirs. Impossible de ne pas me voir et de ne pas me juger. Peut-être que ces hommes m'ont jugée avec moins de sévérité que moi-même… ou même pas du tout.

Maintenant, sans dire que j'adore la musculation, je rechigne beaucoup moins à fréquenter cette section du gym. J'ai découvert que j'aime être légèrement musclée. La masse musculaire fait en sorte que mon corps dépense plus de calories au repos, ce qui me permet de manger un peu plus (ce qui est apprécié par mon côté gourmand !). En outre, la musculation raffermit ma peau, et ça non plus, ce n'est pas désagréable. En musculation, il est aussi facile de mesurer mes progrès : mon corps s'adapte à une vitesse que je ne croyais même pas possible et j'ai vu des changements rapidement. Ça, c'est motivant ! Il y a quelques mois, j'ai réussi à déplacer un poids de 800 livres avec mes jambes et à faire une série de huit répétitions !

Je suis passée de ma perception de petite grosse qui peinait à lever 45 livres à la femme active au sommet de sa forme qui pousse 800 livres !

Disons que le regard des hommes forts, alors que je fais de la musculation, me dérange un peu moins qu'au début ! Je suis fière de ce que j'accomplis. Et je n'ai plus de scrupules à me regarder dans les miroirs. Au contraire : quand je vois le reflet de mes bras plus fins et de mes épaules bien découpées, je suis fière de ce que je suis devenue et ça me motive à continuer.

Mais tout n'est pas rose… Ce que je trouve le plus difficile, c'est l'intensité des efforts qu'un entraînement exige pour que l'on se surpasse, pour toujours avancer. Ce serait tellement plus facile de faire de l'elliptique en regardant le paysage et en savourant la tranquillité ! Mais la perte de poids est favorisée par un entraînement intensif. Mon programme est conçu de façon à me réchauffer doucement pendant une période d'environ 10 minutes. Puis je travaille en intervalles. Par exemple, je vais augmenter la vitesse du tapis durant une minute, puis je la redescends une minute, et ainsi de suite durant une vingtaine de minutes. Je varie l'inclinaison, la vitesse ou encore la résistance. Même quand je cours dehors, je peux travailler en intervalles avec ou sans montre. Je peux courir en continu et me dire que j'accélère entre deux poteaux de téléphone. La difficulté se trouve dans l'effort que ça requiert. Je m'en demande toujours un peu plus, parce que le corps s'adapte et tombe dans une zone de confort. Mon entraîneuse, Tracy, me connaît bien : elle sait identifier les moments où je ne me donne pas à fond ou quand l'exercice devient trop facile. Car le but n'est pas d'atteindre un plateau où l'on ne force plus, mais de toujours créer un déséquilibre en sollicitant davantage notre corps. Et, comme le mien a une bonne capacité d'adaptation, mon entraîneuse modifie mon programme toutes les quatre semaines environ.

La lassitude guette toutes les personnes qui font de l'exercice.

Notre corps n'a pas envie de souffrir, et on s'en demande bien souvent moins que plus.

J'ai personnellement trouvé une façon de rester motivée et de continuer à aller au gym, même après quatre ans : je me donne des défis sportifs. Les exercices de pliométrie (comme des sauts de grenouille) prennent tout leur sens si je suis inscrite à une course ou à un demi-Ironman (qui implique de la course, de la natation et du cyclisme). Quand je fais ces sauts de grenouille maudits qui me font souffrir le martyre, je sais pourquoi je les fais et ça m'aide à tenir le coup. Sinon, faire quelque chose sans justification, très peu pour moi. Ça vaut pour n'importe quel exercice qu'on n'aime pas faire, d'ailleurs : le manque d'entrain à l'ouvrage se produit forcément. Enfin, quand j'ai atteint un but ou un objectif… je me dépêche de m'en trouver un autre !

Je savais que l'entraînement ne serait pas facile tous les jours. Je ne crois pas aux miracles : je suis lucide. Alors j'ai relevé mes manches et je me suis laissé prendre au jeu : de quatre heures d'entraînement hebdomadaire, je suis rapidement passée à six heures. J'ai développé une réelle passion pour le sport. J'ai décidé d'aller au gym en vélo, à la course ou à la marche trois saisons sur quatre. Ça me permet de brûler davantage de calories et d'arriver réchauffée et prête à l'entraînement.

Avant, je lisais sur le vélo stationnaire ; maintenant, je sais que pour être réellement en forme, je dois viser une intensité d'entraînement qui ne me permet ni de lire ni de parler. C'est fou tout ce qui se dit sur la perte de poids.

On est inondé de messages idiots et de publicités trompeuses. « Maigrissez rapidement et simplement en deux semaines ! Obtenez un ventre plat en mangeant ces aliments ! Les aliments qui brûlent les graisses du ventre ! » Et j'en passe ! N'importe quoi !

Pour avoir des abdominaux développés, il n'y a pas d'autre manière que de faire des exercices qui sollicitent ces muscles. Depuis quatre ans, mois après mois, semaine après semaine, je fais plusieurs exercices pour muscler mes abdominaux : trois séries comportant une vingtaine de répétitions. C'est souffrant et très désagréable, je ne m'en cache pas. Mais pourquoi les faire, alors ? Parce que j'aime courir, et que pour être performante en course, je dois pouvoir compter sur des abdos musclés qui soutiennent le haut de mon corps. Alors la douleur peut être un obstacle à la poursuite de l'activité pour bien des gens, mais dans mon cas, la douleur de certains exercices en particulier n'est rien comparativement au bonheur que je ressens quand je termine un demi-marathon.

L'usure du temps

Même si au départ je savais qu'il valait mieux perdre du poids lentement, je pense que ce que je trouvais difficile, c'est le temps que ça prenait pour le perdre. Des livres en trop sont si vite gagnées et mais lentement perdues. Je me rappelle être revenue du gym en pleurant parce que je n'avais perdu qu'une livre durant la semaine, bien que je me sois entraînée pendant six heures. Ma réalité était loin de ressembler à celle des participants des émissions de transformation extrême, qui arrivent à perdre 15 livres par semaine !

Il faut dire que, dans ces émissions, les concurrents mettent bien souvent leur vie en veilleuse pour se consacrer uniquement à la perte de poids : ça devient leur travail à temps plein. Dans la vraie vie, les gens travaillent, vont à l'école, ont des enfants et ils doivent trouver le temps de s'entraîner entre toutes ces obligations. C'est pour ça qu'il est irréaliste de vouloir perdre autant de livres qu'eux dans un laps de temps très court. J'en étais consciente, mais ça m'affectait quand même.

Alors moi, l'impulsive, j'ai cultivé la patience !

Je ne dis pas que ça m'a plu et je ne dis pas que ça me plaît, non ! Moi, je veux tout, tout de suite.

Je voulais que mon pèse-personne affiche un résultat proportionnel à l'intensité de mes efforts, et non pas de l'indifférence.

Pourquoi l'aiguille ne descendait-elle pas plus vite ? Patrice avait beau me répéter que c'était bien et que c'était l'idéal de maigrir lentement, j'avais parfois envie de tout arrêter. Aujourd'hui, j'en ris, car je connais mieux mon corps. Je sais que mes jambes ont tendance à enfler, et que je fais de la rétention d'eau pendant mes règles. Je perdais du poids sans m'en apercevoir, c'est tout.

Heureusement, Tracy continuait de prendre la mesure de mon tour de taille et de mes plis cutanés, ce qui me permettait d'avoir une bonne idée de mes progrès sans uniquement me fier au pèse-personne.

Au fait, d'où vient l'idéal de la minceur ?

J'ai fait un travail universitaire sur l'obésité dans le cadre d'un cours de sociologie. Ça m'a aidée à comprendre d'où venait la norme associée au poids. Ç'a été une recherche qui a contribué à ma guérison psychologique. J'ai tenté d'identifier les auteurs du poids idéal, ceux qui avaient décidé que tel poids était acceptable et que tel autre ne l'était pas. Il y avait forcément des gens derrière ce cadre rigide. Ce poids idéal, qui a légèrement changé au fil des siècles et qui est différent selon le continent où l'on habite, est quand même déterminé par des gens. Qui avaient été ces gens et qui sont ceux qui poursuivent leur travail encore aujourd'hui ? J'avais besoin de le savoir pour mieux comprendre la place que j'occupe dans la société.

La pression est venue tout d'abord de l'Église catholique, qui a déclaré la gourmandise comme l'un des sept péchés capitaux. Elle pointait et accusait les gros de prendre une plus grosse part du gâteau. Elle appelait au jeûne.

Il y a ensuite eu la cour, l'équivalent de la mode d'aujourd'hui, qui a voué une admiration à la femme délicate et mince. Courtisans et courtisanes ont commencé à juger les femmes et les hommes plus en chair, plus empotés, forcément maladroits et finalement carrément inintéressants.

Et il y a finalement eu les médecins qui, avec l'avancée des recherches scientifiques, ont mis en lumière des liens entre les problèmes de santé et le surpoids. Ils ont donc fait des recommandations et ont statué sur un indice de masse corporelle à ne pas dépasser pour être en santé.

Je comprenais donc d'où venait la pression sociale liée au poids. Comme l'Église catholique a perdu son emprise sur notre société depuis la Révolution tranquille, on ne peut pas dire que le septième péché capital m'émeut beaucoup. Mais la mode et la médecine continuent d'influencer grandement mon idéal de minceur. Bien que la mode ait connu certains changements, notamment sur le plan de la grosseur des mannequins, qui a légèrement augmenté, elle n'en demeure pas moins une actrice importante qui n'a pas une influence toujours positive sur moi. Il m'est difficile de ne pas me comparer à ces femmes qu'on qualifie de standards de beauté. La taille des mannequins a beau avoir augmenté, j'ai l'impression que l'écart entre ce que je suis et ce qu'elles sont continue à se creuser.

Présentement, la pression la plus grande que je vis est celle de mon médecin, qui mesure mon risque de souffrir de maladies à l'aide de chiffres liés aux mensurations de mon corps. On oublie trop souvent qu'il y a des gens obèses qui n'ont aucun problème de santé, pas plus en tout cas que les gens qui ont un poids dans la norme.

Moi, un modèle pour mes enfants?

Étant la mère de deux belles jeunes filles et de deux beaux jeunes hommes, je ressens beaucoup de pression à leur égard. Heureusement, ils ne souffrent pas de troubles de l'alimentation, d'hyperphagie (j'ai hérité la mienne de mon père) ou d'anorexie, et ce, même s'ils m'ont longtemps vue calculer mes calories. La façon dont je calcule MES calories et dont JE m'entraîne répond à MES besoins, et ça, ils le comprennent bien. Patrice et moi voulons transmettre à nos enfants des valeurs en lien avec la santé et faire en sorte qu'ils soient bien dans leur peau.

Quand je regarde les photos de mon adolescence, je me dis que j'étais une belle fille, mais que je ne le savais pas. Mes enfants sont beaux : je souhaite ardemment qu'ils le réalisent tout de suite. Si je m'étais regardée avec les yeux que j'ai présentement, je n'aurais peut-être pas développé un problème d'hyperphagie. Je ne veux pas qu'ils soient pris dans la même toile d'araignée que moi.

J'ai moins peur pour mes garçons. Certes, il y a de la pression pour eux, mais elle est un peu différente. Ils mangent bien, bougent beaucoup et ne sont pas trop préoccupés par leur apparence. Gabrielle et Marie, même si elles sont sportives (Marie a un entraîneur privé), n'ont pas le même métabolisme qu'Étienne et Laurent ; elles crient donc à l'injustice quand elles voient leurs frères ingérer de grandes quantités de nourriture sans prendre une livre !

Être une mère responsable de jeunes enfants était très différent qu'être la mère que je suis aujourd'hui. Quand ils étaient petits, j'avais beaucoup de projets, mais les exécuter était extrêmement difficile. Je ne dormais pas bien la nuit, j'allaitais, je m'occupais des devoirs et des leçons, des suivis médicaux… Je répondais à leurs besoins 24 heures sur 24. C'était très demandant et, évidemment, prendre du temps pour moi était un projet sans cesse reporté.

Avec le temps, le fait d'être mère est devenu une motivation pour changer ma vie. J'étais consciente que je devais leur donner l'exemple.

Leur santé était importante pour moi. Leur dire d'aller jouer dehors alors que je restais assise dans mon salon n'était pas très crédible. Comment se fait-il que, dans mon esprit, je n'accordais pas la même importance à leur santé qu'à la mienne ? Comme je suis un amalgame de paradoxes, ça m'a pris un certain temps avant de prendre conscience que bouger leur donnerait un bon exemple. En bougeant, je n'aurais plus à leur dire de bouger, ça viendrait simplement. Mes changements de vie ont donc tranquillement influencé ma petite tribu. Patrice s'est mis à l'entraînement, et toute la famille court ensemble.

L'écriture comme source de motivation !

Écrire ce livre contribue encore à ma motivation. C'est un hommage à ma victoire personnelle et à l'atteinte de mes objectifs, mais c'est aussi un partage, un cadeau que je voulais m'offrir. J'ai entendu plusieurs personnes dire que je suis inspirante et ça me fait plaisir.

Sky is the limit ! Tout est possible ! Passer d'obèse à triathlète EST possible ! Même dans mes rêves les plus fous, après un régime de soupe aux choux et une cure de raisins, je n'aurais jamais cru pouvoir un jour être en forme. Je ne me croyais pas capable de courir 5 km, alors nager, rouler et courir dans la même journée ?

Et pourtant, je viens de terminer un demi-Ironman !

CHAPITRE 10
Les défis

Au début de l'hiver 2012, j'ai décidé de relever le défi de courir un kilomètre. Avant de m'inscrire au gym, j'avais essayé de courir autour du pâté de maisons sans m'arrêter. Le parcours se dessinait sur environ 500 mètres… et je n'avais pas réussi.

Je partais de loin.

Les premiers entraînements avec Marjo consistaient à marcher sur le tapis, qui présentait une légère inclinaison. Ensuite, je devais alterner des périodes de marche et de course d'une durée de 30 secondes. On a ensuite augmenté les intervalles afin qu'ils deviennent de véritables défis.

Comme je perdais de plus en plus de poids, ça devenait de plus en plus agréable de courir. Parce que courir avec beaucoup de poids, c'est difficile. Le cœur « pompe l'huile », comme on dit ! On s'essouffle plus rapidement et c'est plus difficile de maintenir un rythme. Je me suis surprise à dire que je voulais réussir à courir 5 kilomètres. Je me souviens très bien du jour où je l'ai fait sur le tapis du gym. Il m'avait fallu 32 minutes. Je ne portais plus à terre ! Je jubilais ! J'étais tellement fière de moi ! J'avais réussi.

Moi qui, quelques mois auparavant, n'étais pas capable de courir, je venais de réussir un entraînement de 5 kilomètres sur le tapis de course.

C'était une première étape. Je me suis prise d'affection pour la course et je la privilégie dans mon entraînement, plutôt que d'opter pour l'exerciseur elliptique ou le vélo. Elle me permet de brûler énormément de calories en peu de temps, pourvu que j'y mette l'effort. C'est probablement ce qui est le plus difficile lorsqu'on s'entraîne en solo à la maison : on ne se pousse pas autant qu'en présence d'un entraîneur.

Peut-être que mon histoire vous inspirera, comme je me suis inspirée d'André, un homme grand et costaud que je connaissais depuis longtemps. Il avait décidé qu'en un an, il maigrirait et il courrait un marathon. Et il a réussi. Après avoir atteint mes propres objectifs, je lui ai écrit un petit mot pour lui dire que c'était un peu grâce à lui que je m'étais mise à l'entraînement. Il avait été pour moi un exemple concret de réussite. Il m'a répondu que mon petit mot l'avait inspiré à son tour. Au même titre, je me suis mise à l'écriture de ce livre pour pouvoir inspirer d'autres personnes. On a tous besoin de motivation et d'inspiration ! Et on peut tous être un exemple pour les autres, surtout si on a surmonté plusieurs obstacles.

Plusieurs personnes pensent qu'elles ne seront pas capables d'entreprendre un processus de perte de poids, puisqu'elles ont déjà essayé de le faire sans obtenir le résultat espéré. La clé du succès, c'est de réessayer et de se dire que, cette fois, ce sera la bonne ! Combien de régimes avais-je faits, moi ? Des dizaines ! Tout le monde a ses moments de vulnérabilité, tout le monde a besoin, à un moment de sa vie, d'être soutenu. Demander un petit coup de pouce, ce n'est pas honteux, c'est humain.

Ensuite, on peut se relever et montrer notre détermination et notre ténacité.

Et on est outillé pour offrir son aide en retour, avec beaucoup d'empathie. On est parfois gêné de recevoir ; la majorité des personnes préfèrent donner. Or, c'est important de savoir recevoir aussi.

Le bonheur de courir dehors

Je me suis inscrite au gym en septembre 2011, et je m'y suis entraînée tout l'hiver. La première fois que la température a été assez clémente pour que je fasse de la course à pied à l'extérieur, c'était au printemps 2012. C'est là que j'ai compris toute la différence entre courir sur un tapis roulant et courir sur une surface immobile. Sur le tapis de course, on n'a qu'à lever les jambes pour suivre la cadence. Or, à l'extérieur, il fallait que j'ajuste mes foulées pour me propulser.

Il y avait un petit décalage !

Une fois la surprise passée, je me suis mise à apprécier le grand air, et j'ai même préféré ces sorties à la monotonie de la course sur le tapis. Je cours sans musique alors que ma fille Marie ne peut pas courir sans son iPod.

Je profite aussi de la piste de course intérieure qu'offre l'université. En plus de mes trois entraînements au gym, l'hiver, je vais courir sur cette piste deux fois par semaine. Ce n'est pas comme courir au grand air, mais pour moi, c'est plus agréable que de courir au froid. Je tolère difficilement un foulard sur ma bouche, alors courir dans l'air glacial me brûle la gorge. Et puis je déteste avoir les pieds mouillés et avoir froid. Sans compter que la neige et la glace sur les chaussées multiplient les risques de chute. Non, vraiment, le jogging hivernal, ce n'est pas pour moi.

Objectif : 10 km !

Puisque j'avais réussi à courir une distance de 5 km en quelques mois, je pouvais maintenant me fixer l'objectif de réussir un parcours de 10 km. Intérieurement, je m'en savais capable. Je me suis donc inscrite à la Course du Fort Chambly, un parcours de 10 km qui aurait lieu le 6 mai. J'ai prévu un horaire d'entraînement hors gym afin d'atteindre cet objectif, qui impliquait de la course à pied quatre fois par semaine.

J'ai utilisé ma montre cardio ; plus qu'un accessoire sportif, elle était devenue ma compagne d'entraînement. La ceinture thoracique transmettait les données liées à mon rythme cardiaque à ma montre, ce qui me permettait de suivre mon niveau d'intensité à l'effort pour ne plus avoir peur de trop me donner. En calculant mon rythme cardiaque au repos et à l'effort extrême, et au moyen d'un calcul que j'avais trouvé dans les livres sur la course, j'ai déterminé mes zones d'entraînement. Avec ma montre, je n'avais plus d'excuses : je savais quand j'étais dans la zone d'entraînement d'intensité légère, modérée ou forte, et si je courais pour la peine.

La montre était aussi mon alliée pour perdre du poids. Parce que, bien souvent, l'indication des calories brûlées qui s'affiche sur un appareil d'entraînement n'est pas fiable. Ainsi, en enregistrant mes données personnelles (poids, taille, âge) dans ma montre cardio, celle-ci était en mesure de mieux évaluer les calories perdues. Quand je ne l'avais pas avec moi, je divisais par deux le total des calories perdues qui s'affichait sur l'appareil. Par exemple, si je faisais 15 minutes d'elliptique et que l'exerciseur indiquait que cela correspondait à la dépense de 350 calories, je considérais que je venais de perdre 175 calories. Selon moi, il vaut mieux penser à la baisse que surestimer sa perte de calories. Ainsi, au retour à la maison, je me préparais un repas qui comportait à peu près le même nombre de calories.

Pour continuer à bien m'hydrater lors de mes courses à l'extérieur, j'ai acheté une ceinture conçue pour transporter une bouteille d'eau. (Depuis, des ceintures munies de plusieurs petites bouteilles d'eau sont apparues sur le marché ; elles sont plus agréables à porter, puisqu'on n'a plus une seule grosse bouteille qui frappe constamment dans notre dos à chaque foulée.) Ainsi, équipée de ce matériel et de ma volonté, je me suis entraînée dans les rues de mon quartier, le sourire aux lèvres.

Le jour de la course, j'étais très nerveuse. J'avais mal au ventre et je faisais la file devant les toilettes sèches. J'essayais de me calmer, mais il y avait de la fébrilité dans l'air. Pourtant, je ne jouais pas ma vie, mais c'était la première fois que je participais à un évènement sportif de ce genre. Je devais me calmer.

Patrice et les enfants faisaient leurs exercices d'échauffement. Ils m'avaient tous emboîté le pas en s'inscrivant également à la Course du Fort Chambly. Chacun avait choisi le nombre de kilomètres qu'il voulait courir, soit 1 km, 5 km ou 10 km. Quelle belle sortie familiale !

Un sentiment de fierté m'habitait, nous avions réussi à changer notre vie. En modifiant ma façon de vivre, j'avais changé les habitudes de toute ma famille.

Désormais, nous étions une famille pour qui la santé et le bien-être physique étaient devenus une priorité.

Cette journée a gravé en moi le beau souvenir de passer un bon moment avec des gens qui partagent la même passion que moi. Quand le signal a été donné et que nous nous sommes tous élancés dans la course, nous n'entendions que des pas résonner sur l'asphalte ; c'était une belle musique toute douce à mes oreilles. J'ai couru avec du bonheur dans le cœur. Ma famille et moi avions convenu que chacun devait aller à son rythme, alors nous nous sommes peu à peu perdus de vue. À la fin du circuit, un coureur m'a demandé si je voulais finir la course avec lui. J'ai accepté ; il courait légèrement plus vite que moi et ça m'a motivée. J'ai apprécié son geste.

Et j'ai réussi ma course !

C'était magique !

Je l'avais fait !

J'avais couru 10 km ! Dire qu'à peine huit mois auparavant, je n'étais pas capable de parcourir 500 mètres sans m'essouffler...

Mon premier triathlon distance olympique

Jusqu'à ce que j'accomplisse ce défi, j'avais toujours eu l'impression d'être sur la voie d'accotement et que les exploits sportifs étaient réservés à mes enfants. J'étais la mère qui les encourageait et qui les poussait. Maintenant, j'étais la mère qui faisait partie du jeu, et je savourais pleinement cet exploit.

Je me rendais compte que les limites que je m'étais fixées étaient dans ma tête.

Je m'étais dit qu'à mon âge, si on n'avait jamais couru, il était trop tard pour commencer à le faire. Pfff ! N'importe quoi. J'étais dorénavant convaincue du contraire, je pouvais rêver d'accomplir à peu près tous les exploits.

Je ne sais pas si c'est le terme « épreuve sportive » qui m'a fait penser à ça, mais j'ai décidé de faire un triathlon. Depuis quelques mois, je lisais sur le sport et sur la course à pied. Jamais je n'aurais cru que j'allais courir. Pourtant, Gabrielle et Étienne, mes deux aînés, couraient depuis plusieurs années, mais je me disais que ce n'était pas pour moi.

Et là, je courais avec passion.

J'avais mis la main sur une revue spécialisée, et l'un des articles portait sur le Triathlon Esprit de Montréal, qui se déroulait sur le circuit Gilles-Villeneuve et dans le bassin olympique, sur l'île Notre-Dame. Ma curiosité avait été piquée ! De la nage, du vélo et de la course dans une même épreuve ? J'avais l'impression que c'était le summum des épreuves sportives. Wow ! J'ai pris un moment pour y penser, mais on me connaît bien, maintenant. On sait que je suis impulsive.

Alors j'ai décidé que oui, j'allais réussir cet exploit. Je deviendrais... triathlète !

J'avais l'impression que tout était possible ! Je me suis donc mis dans la tête que je ferais un triathlon pour fêter ma première année de changement de vie, en septembre 2012. Et pas n'importe lequel : un triathlon distance olympique, rien de moins !

Je ne savais vraiment pas dans quoi je m'embarquais. Au programme :

- 1,5 km de natation

- 40 km de vélo

- 10 km de course à pied

Comme j'étais capable de courir 10 kilomètres et que j'avais été sauveteuse dans une autre vie, je me disais que j'allais en être capable.

Je suis arrivée au gym, fébrile. Tracy était là, toujours aussi joyeuse, drôle, compétente et motivante. Je lui ai donc parlé de mon nouveau défi. Je crois qu'elle était aussi excitée et enthousiaste que moi ! Tracy a aussitôt conçu un programme d'entraînement spécifique à un triathlon. J'ai complété le tout avec un programme hors gym de nage, de vélo et de course.

Un site Internet fiable proposait des programmes pour différentes distances et épreuves. J'ai imprimé le tout et je l'ai adapté au nombre de semaines qui précédaient le jour J. Pour la nage, ne pouvant pas m'entraîner dans une piscine olympique ni dans un lac, j'ai acheté un élastique de yoga afin de fixer l'une de ses extrémités à ma ceinture et l'autre à l'échelle de ma piscine. Je pouvais donc nager sans arrêt, avec une résistance suffisante.

Puisque je travaillais fort, les résultats se sont rapidement fait sentir. Je consacrais deux périodes d'entraînement par semaine à la natation, pour un total d'environ une heure quarante-cinq minutes. En ce qui concerne le cyclisme, comme je ne savais pas si j'aimerais faire un triathlon, j'avais décidé de ne pas investir dans un vélo de compétition. J'utilisais donc celui de Gabrielle, qu'on venait tout juste de lui acheter. Cependant, il a fallu que je me procure un ensemble pour les réparations de crevaisons ainsi qu'une bouteille d'eau. Ainsi, deux fois par semaine, j'effectuais des randonnées d'environ 17 kilomètres chacune. Je n'avais jamais parcouru d'aussi longues distances, et surtout pas sur une aussi longue période. Je trouvais difficile de bien me positionner sur le vélo. Et que dire des premières sorties, desquelles je revenais tellement ankylosée que je ne savais plus comment m'asseoir à mon retour à la maison ? Finalement, en plus de tout ça, j'avais conservé mes trois séances de course et de musculation. Je m'entraînais donc de six à douze heures chaque semaine. Ces entraînements étaient parfois une vraie torture.

On pense souvent que l'on vit des choses difficiles, que notre vie est un drame. Or, si l'on regarde bien autour de soi, on se rend compte qu'on ne vit pas le pire. « Quand on se compare, on se console », dit l'adage… Alors prendre le temps d'aider les personnes plus démunies est une bonne bouée de sauvetage pour soi-même. C'est ainsi que j'ai pris l'initiative d'essayer d'aider les gens autour de moi en accomplissant des défis sportifs.

Beaucoup d'évènements dans la vie sont souffrants. J'ai été abandonnée par mon père, alors je sais de quoi je parle. Or, je connaissais une famille dont le jeune fils était atteint d'un cancer. Une épreuve inqualifiable. Je ressentais un sentiment d'impuissance devant d'une si grande douleur. C'était difficile pour la famille, difficile pour les proches. On ne sait pas quoi leur dire ni quoi faire pour les aider. Pour avoir moi-même traversé des périodes difficiles dans la plus grande solitude, je me disais que l'important, c'est que cette famille sache que des personnes bienveillantes et aimantes sont prêtes à la soutenir dans ses souffrances.

J'ai donc annoncé aux gens de mon patelin que j'allais participer à un triathlon et que je le ferais pour venir en aide à un petit garçon du nom d'Octavio. J'ai mentionné que je n'avais jamais fait de triathlon auparavant et que mon but était de ramasser des mots d'encouragement, que je transcrirais sur un chandail que je porterais pendant l'épreuve. Mon idée consistait à tisser un filet de soutien et d'encouragement pour cette famille afin qu'elle bénéficie d'entraide, malgré sa douleur.

Durant tout l'été, j'ai récolté des mots d'encouragement sur Facebook, au travail et lors des ateliers que je donnais dans les écoles : j'apportais mon t-shirt pour que chacun y écrive sa petite pensée. J'ai même sollicité des artistes sur Twitter, leur demandant de m'envoyer un petit mot pour soutenir Octavio : Éric Salvail et Patrick Huard ont généreusement répondu à mon appel. Le triathlète Pierre Lavoie, initiateur du Grand défi Pierre Lavoie et père de deux enfants décédés de l'acidose lactique, m'a aussi remis un message touchant, que j'ai retranscrit sur mon chandail en pleurant.

Quand je m'entraînais, je pensais à ce petit Octavio et à sa famille. Il m'apportait un soutien dans mon dépassement. Plus mon entraînement était difficile, plus je me connectais à ce qu'il y a de plus précieux, la vie. La famille d'Octavio m'a permis d'écrire dans ce livre le contenu de la lettre que j'ai remise au petit le lendemain du triathlon distance olympique.

Je tiens ma promesse en écrivant ce petit mot pour ta famille et toi, Octavio.

Le vent souffle, le vent gronde. Le bassin olympique est en furie, tel un véritable océan déchaîné, avec des vagues d'une hauteur de plus de deux pieds. Je ne suis pas partie que, déjà, je mesure l'ampleur du défi. « La bouée jaune, là-bas, oui, celle qui est très, très loin… on voit à peine un point à l'horizon. » Oui, il faut me rendre là, et ensuite, ça ne sera pas fini, mais ce sera ça d'accompli. Mes lunettes à peine ajustées, le départ a sonné. Chaque femme commence à nager le crawl, accrochant une jambe, un bras, une tête au passage. Je prends mon premier bouillon. Je crache l'eau et je m'étouffe de nouveau. Le vent et les gouttelettes m'empêchent de respirer. Je pense à toi, Octavio. Je pense à toi qui es intubé et qui as certainement parfois l'impression d'étouffer. Je replonge ma tête sous l'eau et je nage, puis je me fais encore une fois aspirer tout au fond de la piscine. Un autre bouillon. Une autre vague me gifle et je bois la gorgée. J'ai envie de vomir, mais je contrôle ma nausée. Je pense à toi, à tes traitements de chimio. Oh oui, je sais que tu as eu des nausées et des vomissements pendant tous tes traitements, et plus d'une fois. Alors j'ai relevé la tête et j'ai pensé :

« Accroche-toi, Octavio ! Tu vois la bouée, là-bas ? Eh bien, on va y arriver. » Je reprends une bouffée d'air, mes poumons brûlent. Mon Dieu ! J'avale encore de l'eau. Je la recrache et je replonge la tête. Dix coups de bras, Octavio, et, ensuite, on reprend la brasse, on essaie de respirer. Non, ni le vent ni les vagues ne vont nous empêcher de respirer. On s'est fait dépasser, bien sûr. Mais la vie, c'est surtout un dépassement de soi. L'important, c'est la constance et l'endurance. Qu'importe d'arriver dernier. L'important, c'est de franchir la ligne d'arrivée. On s'accroche, la bouée grossit, on avance, on avance. Les algues nous chatouillent les bras, elles sont vivantes, elles sont là. On arrive, Octavio. Voilà la bouée jaune, il faut la contourner. Je sais, je sais, on n'est pas arrivé, l'épreuve est loin d'être terminée. Mais n'oublie pas que, par la suite, on aura le vent dans le dos. Les vagues qui nous ralentissent vont bientôt nous pousser vers le bon côté. Ça y est, Octavio, on a pris un rythme, on le garde. Je sais bien qu'il y aura ensuite le vélo, mais là, on continue, on nage… On se bat. Un kilomètre et demi au cœur de cette tempête, c'est loin, mais on a déjà parcouru la moitié, c'est sûr qu'on va y arriver. Le bord approche, il faudra faire attention en se relevant, car on sera étourdi, on pourrait tomber, nos forces ont été passablement entamées. Accroche-toi, Octavio ! Accroche-toi après moi, on sort de l'eau. Allez ! Voilà !

Attention, c'est glissant. Il faut être prudent. Il faut monter un escalier. Grimpe sur mon dos, Octavio. Ça va bien aller. On doit se diriger vers le vélo.

Il faut se sécher un peu, enlever la combinaison thermique. On a réussi la première épreuve, garçon. Je suis fière de nous. Allez ! On se bat encore une fois. Je sèche mes pieds, je mets mes bas. Le casque, Octavio. Attache ton casque ! Je te préviens, mon plus grand défi, c'est le vélo. Le vélo me fait peur, Octavio. Et toi, combien de piqûres t'ont fait mal ? Combien de traitements t'ont fait peur ? Allez, on surmonte nos peurs ! On court avec le vélo, et il faut surtout s'hydrater un peu, boire et boire encore.

Faire un duo corps et esprit, c'est ce qui a été convenu. C'est une question de confiance : le corps et l'esprit doivent travailler ensemble. J'embarque sur le vélo. Je suis à la ligne de départ. Ce n'est pas mon propre vélo, je ne le connais pas bien, mais je ferai de mon mieux. Le vent ! Sacré vent ! Même si je pédale dans le tapis, j'ai l'impression de reculer. Si je lâche, c'est sûr que je vais tomber. Mais je ne lâche pas. Je réduis ma vitesse et je pédale, Octavio. Oui, ralentir l'allure, mais ne pas s'arrêter, garder la constance… Savoir que le vent dans notre face sera bientôt dans notre dos. Car la vie tourne, Octavio, comme les tours de piste. Le problème, Octavio, c'est que je ne sais pas comment changer les grosses vitesses. Et alors que j'ai le vent dans le dos, tout le monde me dépasse. Mais l'important, c'est d'apprendre. La prochaine fois, je saurai comment y arriver. J'apprendrai. J'ai peur de dérayer, alors j'aime mieux me faire dépasser que de m'arrêter sur le côté, la chaîne débarquée.

Oh ! Quelqu'un laisse tomber sa bouteille de plastique devant moi ! Trop tard, je ne peux pas l'éviter, je ne sais pas si je vais tomber, tout se passe tellement vite ! Des anges me soutiennent. Je vole vers le haut, mais je retombe sur mes roues. Oh, il y a beaucoup d'accidents, Octavio ; des gens chutent et se relèvent, la peau abîmée. Ça me fait mal de regarder ces corps meurtris, effilochés et ensanglantés. Mais il faut se concentrer, continuer. Oui, 9 tours, 40 km, c'est ce qu'il faut faire pour compléter cette épreuve malgré ce vent déchaîné qui aide à moitié, qui nuit à moitié. C'est comme la vie : on fait des tours de piste, et quelques fois ça va, mais d'autres fois, c'est tellement difficile ! Cette semaine, tu as perdu un ami à l'hôpital. Oh, il a fait de son mieux ! Ses parents n'ont pu le retenir, il a dérapé, et il n'a pas pu s'accrocher. Maintenant, ce sont ses parents qui doivent s'accrocher, s'ils ne veulent pas déraper. Oui, c'est à tout ça que je pense pendant que je pédale et que je pédale encore. Je pense aussi à une phrase que nous répète Brigitte, ma prof de yoga : l'énergie va où la pensée va. Alors, je pense à mes jambes. Poussez ! Poussez ! Je ne peux pas tirer, je n'ai pas de cale-pieds. Merci mes bras, mon cou, mon corps ! Relaxez ! On tient le coup ! Je porte le chandail que je vais t'offrir et sur lequel les gens ont écrit des mots d'encouragement. Un cycliste s'écrie en le voyant : « Nice shirt !! »

Enfin, j'aperçois mes filles accompagnées de Florence, une amie qui est venue pour m'encourager. L'énergie bienveillante des autres, oh oui, ça fait une différence. Ça me porte, ça me soulève. Et c'est ce que j'ai voulu t'offrir, Octavio, une chaîne de soutien pour te porter. Mais aujourd'hui, comme Pierre Lavoie te l'a écrit, c'est toi qui me portes dans ce défi, ta présence auprès de moi fait toute la différence. Oh, Pierre s'y connaît en défis ! Il a perdu deux jeunes enfants d'une grave maladie et, depuis ce temps, il nage, il roule et il court pour amasser de l'argent pour les enfants qui se battent, comme toi, Octavio. Oui, la souffrance nous fait bouger. Bon, voilà, j'ai envie de faire pipi, mais il n'est pas question que j'arrête. J'irai à la salle de bains après l'épreuve de vélo, donc avant d'entamer ma course à pied, parce que courir avec une envie, ce n'est pas génial. C'est comme avec ta sonde, Octavio. Elle te donne une impression désagréable de toujours avoir envie d'uriner et une sensation de brûlure. Mais le confort, ça fait longtemps que tu l'as oublié ; ta peau est irritée par le soluté, tes veines sont sans cesse sollicitées, le moindre mouvement te cause un inconfort. On doit s'accrocher, Octavio, car c'est le dernier tour ! Je sais que ce n'est pas terminé, mais… on va continuer jusqu'à la ligne d'arrivée.

Je sors mon vélo de piste, l'épreuve est enfin finie. Je me dirige vers mon lieu de transition. Je vais perdre des minutes, mais tant pis. J'enlève mes souliers et je change mes bas qui sont trempés. Je n'ai pas le goût d'avoir des ampoules aux pieds. Eh oui, je cours aux toilettes. En ouvrant la porte de la cabine, je suis stupéfaite… Le trou regorge de… il y a une montagne de… vous avez compris. Je referme la porte. J'entre dans une autre cabine, j'enlève mon t-shirt puis j'ouvre la fermeture Éclair de ma combinaison trifonction (oui, cette combinaison une-pièce a ses défauts). Je ressors, j'attache ma ceinture sur laquelle je fixe ma bouteille d'eau et j'amorce le parcours de 10 kilomètres à la course, Octavio. Il ne reste que 10 kilomètres. Enfin, pour aujourd'hui. Eh oui, on avait oublié le vent, Octavio, mais lui, il ne nous a pas oubliés, car il souffle de plus belle. J'ai l'impression de faire du surplace, du tapis, mais il n'est pas question de s'arrêter ni de marcher. Courir, toujours courir. Plusieurs hommes m'encouragent, la majorité des filles ayant déjà terminé. Mais ce n'est pas ce qui compte. Alors, je cours sans me soucier de ce détail. Les gens m'encouragent et je me sens transportée. Il y a des trous sur le chemin, je dois faire attention. Je les contourne et je poursuis ma course, le sourire aux lèvres, car je sais qu'on achève. J'encourage les deux personnes que je dépasse et je me surpasse. On est sur la bonne voie, Octavio. Je parle même de toi quand les autres coureurs me questionnent sur le chandail que je porte. Je vois enfin la ligne d'arrivée. Et mes deux filles courent sur le côté de la piste en criant : « Vas-y, maman ! C'est ça, cours, maman ! Plus vite, t'es capable ! » Oh que oui, Octavio, on est capables ! Allez ! On sprinte ! Prends ma main et accroche-toi bien !!! On a réussi ! Super ! C'est bien. On a fait tout ce chemin ensemble.

Et demain, petit homme, on se reposera.

Bisous xxx

Brigitte

Dans les jours qui ont suivi, Octavio a voulu dormir avec son chandail. Un petit ange fragilisé par la maladie qui m'impressionnait par son courage. Ses parents se relayaient pour l'entourer d'amour, jour et nuit.

Le Super Défi des escaliers de Québec

Septembre 2012. Après le triathlon de Montréal, je m'étais mis en tête de relever un autre défi : le Super Défi des escaliers de Québec, qui consistait à parcourir 19 kilomètres et à gravir 3000 marches dans les rues de Québec au printemps 2013.

En juin 2012, pendant mon entraînement pour le défi dédié à Octavio, notre ville avait perdu une petite princesse du nom d'Audrey. Elle était décédée à 6 ans d'un gliome infiltrant du tronc cérébral. Malheureusement, il n'y a pas encore de remède à ce cancer et, au Québec, aucun enfant ayant reçu ce diagnostic n'a survécu.

Je ne la connaissais pas personnellement, mais j'ai été touchée par son histoire. Une campagne de financement avait été organisée pour aider les parents qui tenaient à rester auprès de leur fille durant tous les traitements. On n'a pas idée des coûts cachés liés à l'hospitalisation : déplacements des parents, stationnement, repas dans les restos rapides ou à la cafétéria, où l'addition grimpe rapidement, frais de gardiennage des autres enfants, journées de congé sans solde… Ainsi, des petits bracelets roses avec l'inscription « Princesse Audrey » avaient été vendus et les profits, remis à la famille.

Une de mes amies était proche de Natacha, la maman d'Audrey. Quand je l'ai rencontrée, la famille était en deuil depuis déjà quelques mois. Je voulais lui offrir, un peu comme je l'avais fait pour Octavio, de l'aider. Cette fois, en plus des mots d'encouragement, je voulais trouver des gens qui verseraient une somme d'argent pour chacune des marches que je gravirais. Je remettrais ensuite ces dons aux parents d'Audrey.

La symbolique des escaliers était très forte dans ces circonstances, puisque je ne cessais de me répéter que « faire le deuil d'un enfant, c'est gravir une marche à la fois ».

La première année est sûrement la plus souffrante, car tout nous rappelle notre bébé, sa fête, Noël, l'annonce du diagnostic, les traitements.

Le Super Défi avait lieu le 16 juin 2013, date qui correspondait au premier anniversaire du décès de la petite princesse. Mon défi était donc encore plus symbolique. De plus, quand la famille d'Audrey a su ce que j'avais fait pour Octavio, elle a aussitôt décidé de partager les sous que j'allais amasser avec les parents du petit garçon. Un beau geste de solidarité.

Plusieurs personnes ont participé et ont contribué pour la cause. Gabrielle, ma grande fille, avait décidé de relever le défi avec moi et recueillait, elle aussi, des noms et de l'argent. Mon implication n'a pas changé leur réalité, mais le soutien peut faire une différence dans le cheminement du deuil. J'ai été ravie d'apprendre, il y a quelques mois, que Natacha avait participé à une course, elle aussi, pour amasser des sous pour Leucan. C'est comme une chaîne d'entraide où les maillons se serrent et deviennent de plus en plus solides.

C'est ainsi que le 16 juin 2013, ma fille et moi avons relevé le défi à la mémoire d'Audrey, mais aussi pour soutenir Octavio, qui luttait encore pour sa vie. Malheureusement, le petit ange est décédé en janvier 2014. Beaucoup de douleur, de tristesse et d'incompréhension s'installent quand la vie d'un enfant s'éteint. Il n'y a rien que je trouve à dire qui a du sens. Il y a quelques semaines, Mélanie, sa maman, m'a demandé si l'on pouvait relever un défi ensemble pour aider un autre enfant malade. Bien sûr qu'on le fera, car ça fait partie de la guérison de pouvoir aider à notre tour. Quand vous lirez ces lignes, nous serons sûrement en train de nous entraîner et de solliciter du soutien et de l'argent pour un autre enfant malade.

Entre deux défis

Nous sommes en juillet 2014. La veille, j'ai couru 20 km. Puis, en après-midi, j'ai joué au basketball avec les enfants, puis nous avons fait une heure de patins à roues alignées. En soirée, je suis allée visiter ma sœur.

Une petite journée tranquille !

Je suis en admiration devant l'adaptabilité de mon corps et ses capacités. En psychoéducation, on nous apprend qu'on est en constante adaptation ; on ne peut dire qu'on est totalement adapté, car notre environnement est sans cesse changeant. Il y a encore des jours où je me demande pourquoi je déborde d'énergie après avoir parcouru une distance équivalant à un demi-marathon !

Je devais analyser ce qui se passait dans mon corps durant mes courses afin de le rapporter dans ce livre. Cette fois-là, j'avais mangé beaucoup de glucides au cours des quarante-huit dernières heures ; j'étais donc en surcharge glycémique. Ma fille avait cuisiné un gâteau au chocolat, et chaque pointe devait renfermer 500 calories. Une orgie pour la panse. Vu sous un autre angle, j'étais prête pour une course sur une très longue distance ! Des nuages couvraient le ciel et la fraîcheur de l'air promettait une sortie confortable. Dès les premières foulées, j'ai senti que mon corps était prêt et que je n'aurais pas de difficulté à atteindre mon objectif de 20 kilomètres.

Mais il avait plu en matinée et des trous de boue ponctuaient la surface de la piste du canal. À certains endroits, je devais faire du slalom. J'ai commencé avec une course tout en douceur ; c'est ma façon de m'échauffer. J'ai donc couru lentement, très lentement, puis j'ai accéléré légèrement dans le deuxième kilomètre. Je ressens toujours un malaise durant les deux premiers kilomètres. Mon corps s'adapte à l'effort et je lui parle : « Prends ton temps ! Tu es capable ! » Je sais que ce malaise est passager et que la facilité — ou plutôt la légèreté — de courir s'installera vers le milieu du troisième kilomètre. Je l'ai déjà vécu. Je ne cours jamais avec de la musique. Je dois être à l'écoute de mon corps, car ce que mon esprit et lui se racontent est fabuleux. Au départ d'une course, mon corps se plaint toujours : « Je suis fatigué. Il fait trop chaud ! C'est trop loin ! » Mon esprit entend et analyse ses demandes. Il sait déterminer s'il s'agit d'une fatigue normale ou s'il est réellement épuisé. S'il juge que les plaintes sont injustifiées, il le convainc qu'il en a la capacité, qu'il a été exercé à fournir ce genre d'effort, qu'il a profité de suffisamment d'heures de sommeil, qu'il a été bien nourri. Et si le corps montre réellement des signes de détresse, l'esprit le respecte et empêche l'ego de le contrôler et de le blesser. La course et l'effort physique se pratiquent avec la complicité du corps et de l'esprit.

Cette journée était donc idéale pour courir. J'en ai profité pour réajuster ma posture de course, pour bien positionner mes jambes à la réception au sol, pour monter mes talons vers l'arrière et m'assurer du bon balancement de mes coudes. Pendant que je m'ajustais, un homme d'une soixantaine d'années, peut-être même de 70 ans, est passé près de moi. Il m'a regardée en souriant puis m'a dépassée, comme une gazelle. J'ai aussitôt pensé : « Je veux courir aussi longtemps que lui ! »

Je l'ai de nouveau rencontré au cours du cinquième kilomètre. J'avais envie de lui témoigner mon admiration.

« J'aimerais courir aussi vite que vous, un jour.

— Ça viendra, m'a-t-il répondu. Ça vient plus vite qu'on le pense ! »

Puis il m'a saluée avant de repartir. Un sourire illuminait mon visage. Quel beau modèle ! Qui a dit que vieillir était triste ? Une preuve de plus qu'on peut contribuer à sa qualité de vie et vieillir en forme… pour un certain temps, du moins. J'ai continué à courir.

Il y a deux ans, j'ai formé un petit groupe d'amies afin de pratiquer la marche et la course en alternance. On se voyait trois fois par semaine, durant huit semaines. Le programme était simple : courir et marcher durant 30 minutes. Les deux premières semaines, on marchait pendant 2 minutes, puis on courait pendant 30 secondes ; on suivait ce rythme durant 30 minutes. Les deux semaines suivantes, le temps de marche avait été réduit à 1 minute 30 secondes, et on courait toujours 30 secondes. On a ainsi ajusté graduellement le programme de sorte à courir 30 secondes et à marcher 30 secondes. Cet entraînement s'appelle du « un pour un ». Un temps d'effort proportionnel au temps de récupération. Je pensais à mes amies. Lors de notre dernière rencontre, on avait statué qu'on courrait dorénavant un kilomètre sans s'arrêter. Durant la course, je pensais à cette décision et je me disais que ce n'était pas une excellente idée. Le premier kilomètre n'est pas agréable à courir et on peut facilement penser que la course n'est que souffrance. Je me suis habituée à courir de longues distances, je sais que le malaise du début est passager, mais pour celles qui commencent…

Le demi-marathon des Deux-Rives

En 2013, j'ai participé au demi-marathon des Deux-Rives pour la deuxième fois. Ce parcours est difficile parce que des pentes, à Québec, il y en a des tonnes. J'avais suivi le « lapin de deux heures » pour améliorer mon chrono. Le lapin, c'est un meneur. C'est une personne qui porte réellement des oreilles de lapin sur la tête, et un temps est inscrit sur celles-ci. Quelques fois, les oreilles vont aussi tenir une affiche ou encore des ballons. Elles sont facilement repérables et le but est de suivre le lapin si l'on veut réussir à faire le parcours en respectant la période de temps indiquée. J'avais effectivement amélioré mon temps de 2 minutes, soit un temps record (pour moi !) de 2 heures 4 minutes.

Toutefois, je n'ai éprouvé aucun plaisir à souffrir et à courir à un rythme qui n'était pas le mien. Je me suis promis qu'en 2014, je courrais d'une manière différente, c'est-à-dire à mon rythme et pour le plaisir.

Mon but était de courir avec le sourire aux lèvres, et ce, jusqu'à la ligne d'arrivée. Pas de grimaces de douleur ! Pas de grincements de dents ! J'ai donc couru avec le sourire. J'ai admiré le paysage : les rives du fleuve étaient splendides sous le soleil éclatant de cette fin de semaine très chaude. Les rayons du soleil généraient une chaleur intense.

Comme j'étais attentive aux autres, j'ai vu une personne tomber d'épuisement… puis une autre… et une autre. Je n'avais jamais été si attentive. Lors d'autres courses, je regardais constamment ma montre, mon temps. Vite ! Il fallait que je batte mon chrono, toujours mieux, et toujours plus vite. L'année d'avant, j'avais suivi le lapin de deux heures et je ne voulais pas le perdre de vue. Je n'ai sans doute même pas pris le temps de regarder autour de moi. Et si je l'avais fait et que j'avais croisé le regard souffrant d'un autre coureur, est-ce que je me serais arrêtée pour lui porter secours ?

Cette année, il m'est apparu normal de m'arrêter pour tendre la main. Je courais pour le plaisir, en étant sensible à ce qui m'entourait. Je me suis donc arrêtée pour m'assurer qu'une femme allait bien, et j'en ai profité pour partager ma boisson désaltérante avec elle. Voir un sourire plein de reconnaissance, ça n'a pas de prix, et encore moins de chrono !

Triathlon Esprit de Montréal 2014

Septembre 2014. J'étais de retour sur le circuit Gilles-Villeneuve, cette fois pas pour un triathlon circuit olympique, mais pour un demi-Ironman, ce qui est considérablement plus exigeant. Et c'est sans doute grâce à ma préparation. Tracy, mon entraîneuse, m'avait bâti un programme de musculation spécifique que je devais faire sur une période de 18 semaines. De plus, toutes les deux semaines, je faisais une sortie de 20 kilomètres en plus de mon entraînement de course, de cyclisme et de natation hebdomadaire. Mon corps s'adaptait très bien à cette quantité d'exercices sans subir ni fatigue ni blessures.

Au départ de l'épreuve de natation, j'avais pensé pour la première fois à démarrer ma montre cardio. Le stress avait toujours fait en sorte que j'oublie de la démarrer au départ, mais pas cette fois. J'étais fière de moi. La montre n'avait rien à voir avec le temps ou le chrono que je comptais faire. Le temps que je prendrais pour réussir l'épreuve n'avait aucune importance. Mon but était de relever le défi en respectant mon corps, en y allant en douceur, en profitant de chaque moment tout en ayant du plaisir. Le simple fait de relever ce défi me procurait une joie immense. Ma montre cardio, dans ce cas-ci, servait simplement à m'indiquer les moments où je devrais m'alimenter.

Car lorsqu'on participe à une épreuve sportive qui s'échelonne sur plusieurs heures, on doit régulièrement consommer des glucides (sucres) pour nourrir nos muscles et on doit hydrater notre corps. J'aimais mieux prévenir que guérir. Il n'était pas question que je frappe un mur en raison d'un manque de sucre : j'avais travaillé trop fort pour me rendre là. J'ai ainsi pris un sachet de gel toutes les heures. Cette substance sucrée a l'avantage de ne pas couler quand on ouvre le sachet et de pouvoir être avalée sans mastication (mastiquer en courant, ça ne réussit pas à tous les coureurs). Lors de l'épreuve de cyclisme, j'ai fractionné une barre chocolatée contenant des protéines. J'ai mangé une demi-banane et un quart de bagel. Je me suis arrêtée trois fois durant la journée pour aller aux toilettes.

Je contrôlais bien la situation.

Mais il fallait bien que j'aie oublié quelque chose !

Dans le bassin olympique, à l'épreuve de natation, j'ai réalisé après quelques coups de bras que mes yeux brûlaient. Mes lunettes étaient restées sur ma tête ! « Ah ! C'est tellement moi ! »

J'avais de l'humour et non de l'impatience devant mon étourderie : tout allait bien, je m'amusais.

L'épreuve de nage pour le demi-Ironman se fait sur une distance de 1,9 km ; j'ai alterné lentre la brasse et le crawl. Je me suis arrêtée quelques fois pour demander à des gens si tout allait bien, la natation n'étant pas facile pour tout le monde. J'ai vraiment profité de chaque moment. Je savourais chaque minute. *Carpe diem* ! L'eau était à 24 °C ; j'ai donc pu nager librement sans combinaison thermique. Le bonheur !

C'était une journée grise et pluvieuse. Durant l'épreuve de 90 kilomètres de vélo sur le circuit Gilles-Villeneuve, la pluie était si forte qu'elle pinçait la peau. Malgré le risque d'accident qui était accentué par la présence de flaques d'eau, je n'ai pas chuté. J'étais sûrement la seule cycliste dont les chaussures (de course à pied, pas de cyclisme !) n'étaient pas fixées aux pédales (un mécanisme de clip, situé entre la pédale et la semelle de la chaussure, permet autant de tirer sur la pédale que de pousser sur celle-ci ; ainsi, quand on pédale très vite, cela évite que les chaussures glissent et qu'on perde l'équilibre). En plus, mes souliers de course remplis d'eau devaient bien peser 2 livres chacun. Qu'à cela ne tienne, j'avais le sourire aux lèvres. J'avais prévu une autre paire de bas, mais je n'avais pas prévu une autre paire de souliers. J'aurais dû le faire. Courir les souliers remplis d'eau, c'était assez pénible. Mais comme il continuait à pleuvoir, j'aurais quand même terminé le parcours avec les souliers mouillés.

J'ai parcouru les 21 kilomètres de course à pied en étant attentive aux autres, comme j'ai maintenant l'habitude de le faire. Je ne pouvais m'empêcher de remarquer que j'étais quand même un peu triste de penser que ma préparation intensive des 18 dernières semaines avait conduit à cette journée, et que celle-ci était déjà presque finie.

J'ai demandé à un homme qui marchait sur le côté du chemin si tout allait bien. Il s'est alors mis à jogger à côté de moi, en me racontant que, lorsqu'il avait réalisé qu'il ne battrait pas son chrono de l'année précédente, il avait perdu tous ses moyens.

J'ai souri et je lui ai dit que je n'avais aucune attente envers moi-même. Que tout ce qui m'importait, c'était le plaisir de faire un triathlon. Que je voulais rendre hommage à ce corps qui m'avait soutenue dans les bons et les mauvais moments.

Je lui ai mentionné que j'étais l'une des dernières participantes en lice du demi-Ironman.

Bien sûr, ce n'est pas mal de vouloir faire de son mieux et de vouloir faire mieux. Je suis une femme compétitive sur certains plans, notamment le plan scolaire, surtout si je sais que mes notes détermineront mon cheminement professionnel. De la même manière qu'un athlète voit d'un tout autre œil le fait de bien se positionner dans le classement. Mais sincèrement, quand on concourt pour le plaisir et que notre classement n'a aucune incidence sur les commanditaires, pourquoi perdre ses moyens ? Je ne le jugeais pas, car je ne connaissais ni sa vie ni ses motivations. J'étais simplement triste pour lui : il allait finir la compétition une heure avant moi, et il serait déçu. Et moi, sachant que je ferais partie des dernières à franchir la ligne d'arrivée, j'étais spectaculairement zen. Tout est relatif !

J'étais presque rendue à la ligne d'arrivée quand, soudainement, je me suis mise à pleurer à gros sanglots. Mon esprit venait de prendre conscience de l'ampleur du défi que j'avais réalisé. « Je l'ai fait ! J'ai réussi ! » Oui, en entendant ces mots dans ma tête, un barrage a cédé.

Je me suis revue grosse.

Je me suis revue en train de me lever péniblement de mon lit.

Je me suis revue assise sur le canapé, une barquette de baklavas vide à mes côtés.

Je me suis revue, la tête dans les mains, découragée, me disant qu'il fallait que ma vie change de direction.

Eh bien, j'avais réussi à changer de direction ; j'avais même complété un tournant de 180 degrés ! Le chemin sur lequel je me trouvais, je l'aimais bien, il me rendait heureuse. Je pleurais et je riais en même temps. J'approchais de la ligne d'arrivée.

Cette fois-ci, il n'y avait personne pour m'accueillir, Patrice et les enfants ayant leurs propres activités cette journée-là. Mais ce n'était pas grave, car tout ce travail, je l'avais fait pour moi et pour personne d'autre.

Sauf peut-être un peu pour mon père.

Dans les dernières foulées de ma course, j'ai pensé à lui. Si j'avais entrepris ma remise en forme avant qu'il meure, peut-être que j'aurais pu le motiver à entreprendre un changement de direction ? Peut-être que je lui aurais été un peu plus utile ? Malheureusement, il était trop tard pour l'aider. Je serais peut-être un modèle inspirant pour quelqu'un d'autre. J'espère au fond de moi qu'en lisant ces lignes, des gens pourront se dire : « Ah oui, elle l'a fait ! Elle n'a pas seulement perdu du poids, elle a réussi à le maintenir et à se mettre en forme. Si elle a réussi, peut-être que je le peux, moi aussi ! »

À 200 mètres de la ligne d'arrivée, j'ai sprinté comme je ne l'avais jamais fait auparavant. Je suis arrivée cinquième... de la fin. Ah ! Et j'étais zen ! J'aurais pu aller faire du patin à roues alignées ou de l'escalade tellement je me sentais bien. Au total, ça m'aura pris sept heures pour accomplir mon triathlon.

Il pleuvait toujours. J'ai reçu ma médaille de participation et je suis allée me désaltérer sous la tente. Des sandwichs, des bananes, des yogourts, des jus, des barres tendres étaient servis pour les athlètes. Je n'avais pas très faim, alors je me suis dit que j'allais me reprendre le lendemain. J'ai enfourché mon vélo, j'ai roulé jusqu'au métro et je suis allée chez ma sœur afin de célébrer la fête de mon neveu. Tranquillement, l'adrénaline a cessé de circuler à la vitesse grand V dans mes veines, et j'ai pu passer une excellente nuit. Le lendemain matin, mon corps reposé n'a ressenti aucunes courbatures... Mais j'avais si faim ! Une faim démesurée. Mon corps voulait refaire les réserves que j'avais épuisées, et mon esprit avait intérêt à l'écouter !

Mon premier marathon

J'ai déjà un nouveau défi à relever. C'est comme ça que je reste motivée à m'entraîner : un défi pousse l'autre. Je viens de m'inscrire à mon premier marathon complet, le Marathon des Deux-Rives, qui se déroulera à Québec et

Lévis en août 2015. J'avoue que ça me fait peur de courir 42 kilomètres. J'ai entendu tellement de personnes avouer qu'il est facile de frapper un mur, de ne pas pouvoir se rendre à la ligne d'arrivée. Mais en même temps, puisque j'ai fait du bénévolat au marathon de Montréal les deux dernières années et que j'ai accueilli les marathoniens à la ligne d'arrivée, je sais que ce moment sera rempli d'émotions.

Après une aussi longue course, ce qui reste à l'arrivée n'est que du vrai, que l'essentiel. Après tant d'efforts, il n'y a plus de parure ; il n'y a que l'être humain dans toute sa vulnérabilité.

En écrivant ces lignes, j'en ai encore les larmes aux yeux. C'est ce qui m'a donné l'envie de m'inscrire. Moi qui ai toujours dit à mes enfants que je ne ferais jamais un marathon, que ce n'était pas pour moi, que c'était trop intense… Me voilà inscrite. J'avoue que je tremble intérieurement. J'ai la conviction profonde que je vais le réussir, mais je sais aussi que ce ne sera pas facile.

Il y a deux ans, j'ai rencontré Maurice, un coureur passionné qui a fait plus de 25 marathons dans sa vie. Il organise aujourd'hui des courses au Maroc. Il m'a inspirée. Pour lui, un marathon est une course où le corps et l'esprit travaillent en parfaite symbiose : je savais de quoi il parlait ! Mon entraînement spécifique ne débutera qu'au mois de mai 2015, mais j'ai déjà entrepris de perdre quelques livres afin d'être plus légère pour parcourir cette distance exigeante. On se rappelle qu'en une année, j'ai perdu plus de 70 livres. L'année suivante, j'en ai repris six, mais j'ai diminué mon tour de taille d'un autre centimètre et j'ai réduit mon pourcentage de gras. De là l'importance de se peser, mais aussi d'avoir d'autres moyens de mesurer ses progrès. Car si on veut avoir l'heure juste, lorsqu'on gagne de la masse musculaire, l'indice de masse corporelle (IMC) doit être interprété en considérant d'autres mesures.

Courir à Québec est une expérience magnifique, mais le trajet comporte plusieurs inclinaisons et faux plats ; il faudra que je m'entraîne en conséquence. Je courrai dans les sentiers du mont Royal tout l'été, de manière à être bien préparée. Il est avantageux de connaître le relief du terrain où l'on va courir lors d'une course organisée, car ça permet de s'entraîner d'une façon plus spécifique en vue de se faciliter la tâche.

Après mon triathlon, en septembre 2014, je suis retournée sur les bancs de l'université. Je suis soudainement devenue beaucoup moins active. J'aurais dû ajuster mon alimentation, mais je ne l'ai pas fait : je pense que j'étais encore portée par mon entraînement intensif des dernières semaines, qui exigeait un apport calorique conséquent. En fait, durant tout l'été, je n'avais pas calculé le nombre de calories que j'ingérais : j'en dépensais tellement durant mes entraînements que, sur le plan de l'alimentation, je ne faisais qu'écouter les besoins de mon corps. Mais après le triathlon, je ne dépensais à peu près plus de calories et je continuais à manger trop d'aliments sucrés.

J'ai senti que j'avais pris du poids avant même de monter sur le pèse-personne. Effectivement, moi qui avais pesé 133 livres dans ma période la plus svelte, j'affichais de nouveau un poids de 150 livres. Oups ! Je n'ai pas attendu que la situation soit irrécupérable pour aborder le sujet avec mon entraîneuse. J'ai pris mon courage à deux mains et je lui ai parlé : « Tracy, j'ai engraissé et je n'aime pas ça. » Ce n'est pas honteux. Dans ma vie, j'ai fait mille détours, comme le montre le chemin sinueux sur la couverture de ce livre. Mais les détours, c'est fini ! J'aurais pu repousser ce moment, mais je l'ai tout de suite pris en charge. La honte m'a trop souvent nui dans ma vie. Désormais, j'assume mes bons et mes mauvais côtés. Je ne me suis pas jugée ; j'ai seulement pris la décision que j'allais déployer des efforts pour remédier à la situation. Pas parce que je me trouvais grosse. Parce que je voulais atteindre le poids idéal me permettant d'être plus performante à la course. Bien entendu, j'avais beaucoup de masse musculaire, mais je trouvais ça pénible de courir à 150 livres.

J'avais connu le bonheur de courir en étant plus légère, et je voulais retrouver ce poids pour pouvoir faire mon marathon. Et j'allais y arriver. J'ai trop donné pour ne pas être vigilante dorénavant. Ma nouvelle vie, j'y tenais beaucoup ! Mon mode de vie aussi. La vie, c'est une constante adaptation, alors je m'y fais, je m'ajuste en ne me jugeant plus et je vais chercher l'aide dont j'ai besoin.

Maigrir à nouveau n'a pas été facile. J'ai dû refaire le même cheminement que j'avais fait trois ans auparavant. Je me suis pesée et j'ai confié mon objectif à Tracy ; elle a ainsi ajusté ma routine en y intégrant plus de cardio. Maigrir n'avait pas un but esthétique ; je m'étais fixé l'objectif de perdre 10 livres. Lorsque je l'ai atteint, je n'ai pas voulu en perdre davantage. Ces livres en moins ont été suffisantes pour faire la différence quand je me suis remise à courir. Je me sentais désormais plus énergique.

Un peu comme une actrice qui modifie son corps en fonction du rôle qu'elle veut jouer, je modifie mon poids en fonction du défi que je veux réaliser. Et là, mon défi, c'est un marathon.

Ce qui est incroyable, à mon avis, c'est de toujours terminer mes séances d'entraînement complètement vidée, aussi fatiguée qu'au premier jour, mais moins courbaturée. Tracy dit que si ce n'était pas le cas, elle se poserait des questions sur la qualité de son travail ! C'est elle qui voit à ce que l'entraînement me sorte de mes zones de confort et, bien entendu, ça m'arrive de chigner et de me plaindre, surtout lorsqu'il faut que je fasse de la musculation. J'ai appris à ne plus détester ça, mais ça ne veut pas dire que j'adore ça non plus, même si j'aime être légèrement musclée. Ah, Brigitte et ses contradictions !

Je n'aime pas souffrir. Présentement, Tracy me demande d'effectuer 100 répétitions pour les six exercices qu'elle a sélectionnés, que je dois accomplir en 4 minutes. J'ai le droit de faire une pause seulement à la suite des 40 premières répétitions ; c'est douloureux, mais je m'améliore rapidement. Cette partie de l'entraînement est prévue après les 30 minutes de cardio. Nous avons longtemps varié mes exercices à chaque séance. J'aimais vraiment cela, car je suis une femme qui aime le changement quand je m'entraîne. Cependant, depuis quelques mois, nous conservons le même programme durant cinq semaines avant de le changer ; j'aime aussi ce rythme puisqu'il me permet de constater la progression rapide de mes résultats. C'est impressionnant et motivant de voir la rapidité d'adaptation de mon corps. Puisque Tracy notait le temps d'exécution de mes mouvements, on a pu vite constater que ça allait… trop bien. Elle m'a donc ajouté des charges supplémentaires, me rappelant que l'idée est de travailler et de forcer, et non de m'asseoir sur mes succès.

Continuer à s'entraîner grâce à Internet

Il arrive que Laurent, qui étudie à l'École nationale de cirque, nous donne des défis pendant les fins de semaine. Ça le motive à garder la forme, et il nous encourage à nous dépasser. Il nous fait faire la planche abdominale, des redressements assis, des pompes et même des tractions au moyen de la barre que je lui ai achetée.

Pour la première fois de ma vie, j'ai pu lever mon poids en faisant une traction des bras. Parce que pousser 800 livres avec ses jambes, c'est une chose ; mais faire des tractions, c'est difficile !

J'en étais tellement fière.

À l'occasion, je visionne des vidéos d'exercices afin de m'entraîner à la maison. Aujourd'hui, ce n'est pas le choix qui manque dans Internet. On peut consulter différentes vidéos et ainsi varier les entraînements ; c'est donc possible de fuir la routine. Quand je n'ai pas beaucoup de temps à consacrer à l'exercice, je sélectionne des vidéos d'une trentaine de minutes qui me font suer et avoir chaud. Eh oui, je sue, maintenant !

C'est motivant, surtout quand on est seule, et c'est pratique quand le gym est fermé. Mais c'est aussi une bonne occasion de faire participer les autres membres de la famille : accompagnée de mes enfants, je diffuse une petite vidéo et on s'active tous ensemble. Sincèrement, je suis ravie de faire ce genre d'activité en groupe. Le seul bémol, c'est que personne ne peut corriger la position de mon corps durant l'exercice, si elle est inadéquate. Il est donc important de faire attention pour ne pas se blesser en voulant aller trop vite. Je prends donc le temps de bien regarder les exercices avant de me lancer dans les circuits. Je m'attarde particulièrement sur ceux que je ne connais pas et qui demandent davantage de coordination. J'ai acheté trois paires de poids : des 3 livres, des 5 livres et des 7 livres. Puisque je les utilise assez régulièrement au gym, je considère qu'il est pratique d'en avoir à la maison et ça ne coûte pas très cher. Quand je suis en déplacement, j'utilise mon sac à dos que je remplis de livres : il fait donc office de poids. Internet regorge de trucs pour s'entraîner avec des objets détournés de leur fonction.

Il y a quelques années, j'ai acheté des appareils d'exercice afin de continuer mon entraînement à la maison. Même s'ils étaient chers, leur qualité n'a rien à voir avec celle des appareils sur lesquels j'ai l'habitude de m'entraîner au gym. Je ne peux même pas courir à la vitesse que je veux sur mon tapis roulant ! Alors tant pis. L'accessoire dont je me sers le plus est l'escalier, que je positionne devant la télé. C'est un bon dépanneur, mais je reste persuadée que le meilleur investissement est mon abonnement au gym. Car lorsqu'un appareil brise, je n'ai pas à me soucier de le faire réparer ! Je peux aussi choisir ce que j'ai réellement envie de faire, car il y a un vaste choix d'appareils. Bien entendu, j'aimerais avoir une belle salle de conditionnement physique chez moi, mais ce n'est pas nécessaire à ma vie. Un petit espace dégagé avec un tapis de sol me suffit amplement… pour l'instant !

Prochain défi

Mon prochain défi est d'obtenir ma maîtrise en psychoéducation. J'aimerais enseigner et travailler avec les gens qui veulent perdre du poids. J'aimerais les aider dans leur transformation. Car maigrir et s'entraîner un certain temps, tout le monde peut le faire. Le vrai défi, c'est de modifier ses habitudes de vie à long terme. Quelles sont les difficultés d'adaptation et les capacités adaptatives de la personne ? Voilà les questions de la psychoéducation. J'ai mon histoire ; les autres ont la leur. Mes habitudes de vie, je les ai développées en réponse à ce que j'ai vécu. Que ce soit pour me protéger, me réconforter ou même me punir. Le changement que j'ai fait a demandé de l'introspection. Je le répète : il n'était pas question de trouver un coupable à mes crises d'hyperphagie et à mon surpoids pour ensuite le pointer du doigt. Je voulais prendre le temps de comprendre comment j'en étais arrivée là. Pourquoi mangeais-je compulsivement ? Qu'est-ce que ça m'apportait ?

J'ai trouvé important de voir les côtés sombres et lumineux de ma relation avec la nourriture, car il n'y a pas que du mal à trop manger. Sinon, on ne le ferait pas. Je ne pouvais pas vivre sans me nourrir. Je ne pouvais donc pas me dire que je réglerais le problème en ne mangeant plus. Je devais trouver un moyen d'y faire face et, pour y arriver, je devais mieux me connaître, identifier mes besoins et m'aimer avec mes qualités et mes défis, comme dirait une amie.

CHAPITRE 11
Les cartes de motivation

Pendant la période des Fêtes, en 2013, l'auteure en moi a eu une inspiration. Mais cette fois, au lieu de me mettre à la rédaction d'un livre jeunesse, je voulais m'adresser à un public adulte soucieux d'entreprendre une perte de poids. Mon projet consistait à partager de façon créative des trucs de motivation et des conseils afin de maintenir un poids santé. Je suis l'auteure de plus de cinquante livres pour la jeunesse : j'ai donc l'habitude d'écrire selon le modèle traditionnel, qui comprend une introduction, un développement et une conclusion. Or, comme mes conseils étaient écrits sous la forme de petites capsules, ils se prêtaient mal à cette présentation.

J'avais aussi pris conscience que je faisais partie des adeptes de l'instantanéité, c'est-à-dire de ceux qui veulent notamment tout savoir dans l'immédiat. J'ai donc décidé de concevoir des cartes de motivation, qui seraient offertes dans un format pratique et discret, comme une carte bancaire. Ainsi, ces cartes pourraient être insérées dans la boîte à lunch, le porte-monnaie, la trousse à cosmétiques. Mes conseils allaient donc toujours être à portée de main.

Mon concept consiste à déposer toutes les cartes dans une boîte, dans laquelle on pioche chaque matin : on pige une, deux ou trois cartes-conseils au hasard et on s'engage à mettre ce qui y est écrit en pratique dans la journée. On peut même afficher l'une d'elles sur l'écran de l'ordinateur du bureau, sur le frigo ou même le garde-manger, ces derniers étant à mon avis des endroits hautement stratégiques !

Ces cartes-conseils représentent un précieux aide-mémoire des bonnes habitudes à adopter dans une démarche de perte de poids, ou simplement pour maintenir la forme. Je les utilise encore tous les jours… et je ne pense pas arrêter de sitôt ! Plusieurs personnes font des régimes ou commencent à s'entraîner et, après quelques semaines, au plus quelques mois, elles voient leur motivation s'estomper peu à peu. On peut l'observer au gym. Au mois de janvier, les salles d'entraînement sont bondées. Mais en avril ? Hum…

On garde le cap !

Ne vous posez pas la question qui tue, c'est-à-dire celle qui est la plus nuisible à la persévérance : « Est-ce que je devrais aller au gym, ce soir ? » Il y a beaucoup trop de risque que vous répondiez non !

Je ne me pose jamais une telle question. Je m'entraîne les lundi, mercredi, jeudi et samedi. Mon horaire est stable et n'est pas déterminé selon le fil de mes humeurs et de mes maux. Si j'ai un empêchement le samedi, j'y vais le dimanche. Ce n'est pas négociable : je ne saute pas une journée. Bien entendu, à certaines périodes du mois, je me sens moins performante à cause de mes règles. Pas besoin d'en faire un plat : je fournis alors simplement les efforts que je peux ce jour-là. Si le niveau d'efforts déployés au cours de l'un de mes entraînements se situe en deçà de ce que je fais d'habitude, ça ne veut pas dire que tout est fini pour autant ! À la prochaine séance, je m'améliorerai, c'est tout. On se rappelle que je veux rendre hommage à mon corps, je ne veux pas le torturer…

Il existe des façons de détourner un manque de motivation. D'abord, il faut observer les premiers signaux d'alerte. « Je ne me sens pas bien, ce soir. Je suis fatiguée, donc j'irai demain : ce sont des réflexions qui ouvrent la porte à l'abandon progressif. N'acceptez pas la décision de votre esprit. Il suffit de se dire : « Bon, je ne suis pas en forme, c'est vrai, mais l'entraînement va me donner de l'énergie. » Ensuite, levez-vous et allez remplir votre bouteille d'eau. C'est vrai que vous allez vous sentir plus énergique à la suite de votre entraînement. Si vous avez fait des abus de nourriture durant la semaine et que vous avez peur de vous peser, forcez-vous au contraire à monter sur le pèse-personne. Au lieu d'être dépité par le poids qui s'affiche, pensez plutôt que c'est une excellente raison pour aller vous entraîner.

Remettre quelque chose à plus tard, c'est comme étirer un élastique... Cela reviendra contre vous et cela risque de vous faire mal. N'attendez pas ! Foncez ! Soyez vigilant avec votre esprit. Ne remettez pas vos entraînements au lendemain. Faites ce que vous devez faire chaque jour. Levez-vous, convaincu, et agissez !

J'aime m'entraîner le matin. Quand on se lève et qu'on se dit : « J'irai peut-être m'entraîner cet après-midi », ça commence mal. Premièrement, on a utilisé le mot « peut-être » et, deuxièmement, on a reporté la séance. Moi, je fais mes exercices avec mon entraîneuse deux soirs par semaine, mais si Tracy n'est pas disponible, j'aime aller m'entraîner le matin. J'y vais le matin et, ensuite, c'est fait ! Si je décide de courir 10 kilomètres, je ne me demande pas toutes les cinq minutes si je dois plutôt courir 5 kilomètres ! Un déjeuner en famille est prévu ? Je me lève alors plus tôt pour être certaine d'être revenue à temps. Programmez votre réveille-matin et planifiez votre journée de sorte à prévoir le temps nécessaire à votre période d'entraînement ainsi qu'à vos activités familiales et profession-nelles. L'important est que tout ceci devienne naturel, et non pas un irritant.

Plus on est en forme, plus on a de la vitalité. Et cette vitalité se traduit en efficacité et en rendement. Vous gagnerez sur plusieurs plans. Voici un aperçu de ma journée type :

- Lever à 6 h. Je déjeune, je prépare mon lunch et mes collations, puis je pars pour l'université ;

- Je termine mes lectures dans l'autobus. Dans le métro, j'utilise les escaliers ;

- J'assiste à mon cours pendant trois heures. À la pause, je mange ma collation santé, c'est-à-dire un fruit et un yogourt ;

- À la fin du cours, je vais courir ou marcher durant 30 minutes. Ça me permet de m'oxygéner avant de poursuivre la journée ;

- Je dîne avec une salade verte et des protéines. Une simple salade est trop vite digérée. J'ai besoin de protéines pour me soutenir ;

- Je vais à la bibliothèque pour résumer mes notes de cours ou pour faire des travaux scolaires. C'est aussi à ce moment que je réponds à mes courriels ou que j'écris mes livres. Je passe donc encore beaucoup de temps en position assise ;

- Lorsque je reviens à la maison, j'utilise les escaliers du métro puis je prends l'autobus. Je profite de ces moments pour planifier ma soirée ;

- Je prépare le souper tout en discutant avec Patrice et les enfants. C'est un moment sacré. En même temps, je mets une brassée de lessive en marche ;

- S'il s'agit d'un jour de la semaine où un entraînement est prévu, je vais au gym. Avec l'aller-retour, je suis absente pendant environ une heure et demie.

Je réserve aussi du temps pour d'autres activités : le sport n'est pas ma seule passion ! Je vais régulièrement au théâtre, voir des expositions et assister à des concerts. J'achète également des tonnes de livres : j'adore lire ! À l'occasion, je regarde la télévision. Je surfe dans Internet. En janvier 2015, j'ai créé la page Facebook Pas d'excuses, sur laquelle je publie des capsules vidéo que j'ai moi-même réalisées. Il s'agit d'exercices que l'on peut faire à la maison pour s'entraîner avec ce que l'on a sous la main. On y trouve autant des exercices dont le niveau de difficulté est élevé que des exercices destinés aux personnes présentant un lourd surplus de poids et voulant commencer à se mettre en forme.

- Les soirs où je n'ai pas prévu d'activités, je me couche vers 20 h 30. J'ai toujours été une couche-tôt et une lève-tôt. Dès que les enfants ont été assez vieux pour faire leurs nuits dans leurs lits de bébé, j'ai pu retrouver mes habitudes.

Je pense sincèrement que le succès réside dans la planification : c'est une partie de mon secret. Un bon plan bien exécuté est un gage de réussite, encore plus quand on gère une famille. J'effectue une planification à court terme, c'est-à-dire que je prévois ce que je vais faire dans la journée. J'effectue aussi une planification hebdomadaire et mensuelle. Il suffit d'apprendre à bien se connaître, de déterminer ce qu'on a envie d'accomplir et d'identifier nos priorités.

Par exemple, pour la rédaction de ce livre, je devais savoir combien de mots je devais écrire chaque semaine pour respecter la date de la remise du manuscrit. La répartition de mes séances d'écriture n'était pas aléatoire. Pour mes examens, j'utilise des stratégies d'apprentissage et je répartis les heures qui doivent être consacrées à l'étude selon le nombre de semaines dont je dispose. Pour relever mes défis sportifs, j'utilise la même philosophie. La réussite demande l'élaboration d'un plan mesurable dans le temps et une intensité suffisante, et ce, jusqu'au jour J. Ensuite, je me fixe un autre objectif : c'est ce qui m'aide à tenir le coup depuis si longtemps.

Je ne laisse pas ma réussite dans les mains du hasard ; je la fais mienne, je la planifie.

Oui, il y a des facteurs sur lesquels nous avons moins de contrôle et qui vont parfois jouer en notre faveur, parfois en notre défaveur. La météo en est un bon exemple lorsqu'on s'entraîne à l'extérieur. J'ai beau m'entraîner durant plusieurs semaines, je serai à la merci de la température. Par contre, si je m'entraîne depuis plusieurs semaines, j'ai sûrement expérimenté différentes conditions météorologiques. Ces expériences me permettent d'observer comment je réagis à une température très chaude ou très froide, pluvieuse ou particulièrement sèche, et je m'adapte en conséquence.

Même chose en ce qui concerne la perte de poids : je dois savoir combien de calories je consomme chaque jour et combien je peux en perdre. Tout se planifie et tout se calcule. Par exemple, si je dois séjourner à l'extérieur pendant plusieurs jours, j'élabore un plan d'entraînement et un plan alimentaire. Je ne laisse rien au hasard, mais je ne suis pas extra rigide pour autant. Plusieurs personnes abandonnent l'entraînement à leur retour de vacances. Pourtant, ces moments d'évasion ne signifient pas nécessairement qu'il ne faut rien faire du tout ou qu'il faut abandonner ses bonnes habitudes. On peut se limiter à trois heures d'entraînement durant la semaine, ce qui sera suffisant pour ne pas perdre son cardio, par exemple. Cela dit, sans faire la morale, tenez-vous réellement à engraisser de plusieurs livres pendant vos vacances ? Combien de temps cela vous a-t-il pris pour n'en perdre qu'une seule ? Et combien de temps mettrez-vous à perdre les excès que vous avez faits ? Des semaines, voire des mois ! Votre esprit connaît vos points faibles : apprenez à déjouer les mauvaises habitudes qui vous ont nui jusqu'à présent.

Le corps, une PME

Pratiquement toutes les entreprises, les petites comme les grandes, élaborent des plans stratégiques. Pourquoi ? Pour savoir où elles se situent, où elles s'en vont et où elles veulent aller. Si vous deviez prioriser une seule entreprise, je vous dirais de choisir la vôtre, c'est-à-dire votre corps et votre esprit. Évaluez votre forme physique et votre poids et soyez assuré que vous allez évoluer à moyen ou à long terme. Voulez-vous vraiment laisser ça entre les mains du hasard ?

Moi, j'ai décidé que j'élaborerais un plan stratégique à long terme. J'allais être en forme et prendrais en main tous les facteurs que je pourrais contrôler. Mon souhait, c'est de devenir la plus vieille coureuse au monde. Au lieu d'avoir peur de vieillir, j'ai hâte de changer de catégorie d'âge pour cette raison. Ça m'inspire de voir des femmes de plus en plus âgées faire des courses, des marathons. J'ai parlé à une femme de 70 ans qui a réussi le marathon Oasis de Montréal, en 2014 ; à la ligne d'arrivée, elle était rayonnante et ses yeux pétillaient. Ça, c'est le passeport santé que je me dessine !

Ça, c'est ma banque d'énergie et de persévérance dans laquelle je vais piger. C'est pourquoi je mange bien, je bouge et je vis pleinement le moment présent. J'ai longtemps cherché un sens à ma vie. Je l'ai trouvé. Puisqu'il faut que je vive et que je meure, aussi bien vivre en forme, le plus longtemps possible et dans les meilleures conditions possible, et ce, en aidant les autres du mieux que je le peux.

Lorsque j'ai constaté que j'avais pris du poids l'automne dernier, je n'ai pas fait de déni. J'avais arrêté de me peser après le demi-Ironman. J'ai donc pris la carte de motivation *Je me pèse* et je me suis dit : « Brigitte, tu es en train d'écrire un livre sur toi, tu as conçu des cartes pour t'aider et pour te motiver, alors fonce ! Va te peser. »

Vous connaissez la suite. Tracy m'a refait un programme d'entraînement et j'ai perdu le poids que j'avais accumulé au cours des semaines précédentes. Il faut savoir se relever, et il faut parfois se relever plus d'une fois. Avant, j'aurais progressivement repris le poids perdu, mais là, j'ai trop travaillé sur moi et je suis trop sensibilisée aux bienfaits d'un poids santé pour retomber dans ce cercle vicieux. J'ai convenu que je devrais me peser régulièrement, sans néanmoins que cela devienne une obsession. Monter sur le pèse-personne une ou deux fois par semaine, dans mon cas, est sain ; arrêter de me peser me conduit inévitablement à reprendre du poids.

Envers et contre tout !

Il n'y a pas de pensée magique. Je ne peux pas me faire croire que je peux manger TOUT ce que je veux sous prétexte que je m'entraîne. Si je mange trop de desserts dans une semaine et que je ne m'entraîne pas en conséquence, je vais accumuler un surplus de calories, c'est mathématique.

Au fil des ans, et grâce à ma démarche, j'ai laissé tomber la fille qui se la joue pour adopter une attitude beaucoup plus authentique. Celle qui faisait de la dérision sur son poids a cédé le terrain à la femme qui se regarde en face. Admettre que j'avais engraissé après mon triathlon, à l'automne 2014, a contribué à me motiver à perdre le poids que j'avais pris. Je ne me suis pas jugée, je ne me suis pas accablée, mais je n'ai pas pris ça à la légère non plus : je me suis simplement remise sur le bon chemin en ajustant mon nombre limite de calories par jour en fonction de mes heures réduites d'entraînement.

Tracy est devenue mon alliée dans cette démarche de perte de poids, tout comme Patrice. Je suis bien entourée. J'aurais également pu choisir ma meilleure amie comme alliée. Pourquoi ? Parce que lorsqu'on prend la décision de se remettre à noter tout ce que l'on mange, il est facile de reporter cette résolution au lendemain, et même au surlendemain. On peut s'influencer soi-même… Puisqu'un allié s'enquiert de nos progrès, dès lors, on ne peut plus mentir ni reculer l'échéance. C'est une question de confiance. Se peser devant quelqu'un, ça aussi, ça stimule la motivation !

Maintenant, quand je vais au gym, je m'entraîne à une intensité élevée, et ce, même si mon entraîneuse n'est pas à mes côtés. Pour reprendre l'expression préférée des jeunes, je « sue ma vie » et je sais que Tracy serait fière de moi. Je n'ai pas toujours besoin qu'elle m'accompagne : j'ai signé un contrat avec moi-même. C'est un défi personnel. Je sais que je peux y arriver, alors je le fais. Je sais que mon corps ne voudrait pas tout donner, mais je sais aussi ce dont il est capable.

Ce matin, je me suis questionnée… « Si j'apprenais qu'il me reste deux semaines à vivre, qu'est-ce que je ferais ? » Eh bien, je pense que je voyagerais une dernière fois avec toute ma famille, et je m'entraînerais sûrement tant que mon corps tiendrait le coup. Jusqu'à présent, je ne regrette pas mes choix et j'assume mon parcours de vie. Ce que j'ai éliminé de ma vie (comme le vin, que j'aimais bien) ne me manque pas au point de souhaiter en avoir une dernière fois avant de mourir. C'est l'activité physique qui me procure le sentiment de vivre pleinement. Je me sens débordante d'énergie et de vitalité ! C'est merveilleux de se sentir bien à ce point.

J'ai repris le contrôle de mes émotions et de ma vie. Aujourd'hui, voici mes mensurations :

Poids : 135 livres

Tour de taille : 76 cm

Tour de hanches : 93 cm

Masse grasse : 27 % (normale)

Je suis heureuse.

Ce qui me rend le plus fière, c'est que je ne souffre plus de crises d'hyperphagie. J'ai réussi à développer une relation saine avec la nourriture. Je maintiens le cap. Et je n'ai pas ressenti la honte depuis septembre 2011.

Ah oui ! Et pour en revenir à mon matelas, j'ai toujours le même, et je n'ai plus mal au dos !

En conclusion

Dans ce livre, j'ai partagé avec vous mes bons coups, mais aussi mes difficultés : même ma rechute de l'automne dernier, je ne vous l'ai pas cachée. J'ai beau avoir réussi à maintenir mon poids longtemps, je ne suis pas à l'abri des rechutes. Mais vous savez quoi ? La vie m'a appris à me relever. Si je trouve la force et le courage de surmonter les épreuves et de me remettre debout sur le bon chemin, c'est pour pouvoir ensuite tendre la main aux autres. Ce faisant, c'est moi-même que j'aide aussi à relever.

C'est au cœur des épreuves que la bonté se manifeste. Il ne faut jamais abandonner. Il ne faut jamais arrêter de croire qu'on peut faire une différence pour les autres. Il faut foncer et mordre dans la vie au lieu de se laisser mordre par elle.

Je vous souhaite de découvrir qui vous êtes et d'apprendre à vous aimer. C'est probablement le plus beau cadeau que vous pouvez vous offrir.

C'est le plus beau cadeau que je me suis offert.

Cartes de motivation

JE BOIS DE L'EAU.

L'eau est la meilleure boisson que vous pouvez consommer. Elle est essentielle à la vie et contribue à éliminer les graisses. Il est recommandé d'en boire au moins 1,5 litre chaque jour. En entraînement ou pendant une activité, apportez une bouteille d'eau que vous pourrez remplir au besoin et pensez à boire avant de ressentir la soif.

JE MARCHE.

La marche est un bon moyen de bouger et d'être actif. Laissez votre voiture à la maison lorsque vous devez faire de petites commissions ou stationnez-vous loin de l'endroit où vous allez afin de vous obliger à marcher davantage.

JE MANGE DES CRUDITÉS.

Quand la faim nous tenaille, on est plus sujet à manger ce qui nous tombe sous la main. Si vos céleris et vos brocolis sont déjà lavés, coupés et emballés en portions individuelles, vous avez plus de chances de les choisir et ainsi vous offrir une collation santé.

J'UTILISE LE PÈSE-PERSONNE.

La « balance » donne l'heure juste. Elle est un incontournable dans le processus de perte de poids. Utilisez-la une fois par semaine afin de surveiller votre poids.

JE NOTE CE QUE JE MANGE.

Prendre conscience de ce que l'on mange est aussi important dans le processus d'amaigrissement que dans le maintien d'un poids santé. Ayez en main un calepin dans lequel vous notez ce que vous mangez. Cette initiative vous aidera à mieux adapter votre alimentation tout au long de la journée.

JE MANGE DE LA SOUPE.

En hiver comme en été, chaude ou froide, la soupe est un repas nutritif souvent peu calorique qui comble à satiété. Il faut cependant faire attention à la quantité de sel qu'elle contient.

JE M'INSPIRE D'UNE PERSONNE MODÈLE.

Votre amie Julie maintient son poids tout en étant en santé ? Demandez-lui des conseils, ou participez à des forums et inspirez-vous des témoignages des autres membres. Vous n'êtes pas seul.

JE SORS DE CHEZ MOI.

Éloignez-vous du garde-manger et du frigo. En sortant de la maison, vous occupez votre esprit et votre corps tout en brûlant des calories. Le magasinage peut être une bonne façon de brûler des calories. Apportez-vous un fruit pour ne pas craquer à la foire alimentaire, et si vous devez manger un repas, faites un choix sain.

J'ALTERNE LA MARCHE ET LA COURSE.

Bien que la marche nous aide à être actifs, la course demeure la championne de la dépense énergétique. Commencez par 2 minutes 30 secondes de marche pour 30 secondes de course puis, graduellement, diminuez le temps de marche en maintenant le 30 secondes de course. Vous améliorerez votre condition physique de manière efficace.

JE MANGE UNE COLLATION ENTRE LES REPAS.

Mangez une collation environ toutes les 3 heures. Dégustez un fruit avec un petit morceau de fromage ou encore quelques noix, et vous pourrez facilement attendre jusqu'au prochain repas. Évitez les aliments transformés et sucrés, qui provoquent souvent une hyperglycémie réactionnelle entraînant la faim. C'est pourquoi il est difficile de se limiter à un seul biscuit…

JE PRENDS SOIN DE MOI.

Prenez du temps pour vous coiffer, bien vous habiller, vous faire plaisir. Écoutez de la musique. Pensez aux recommandations données en ce qui a trait aux masques à oxygène dans les avions. Enfilez votre masque avant d'aider les autres. Il en est de même dans la vie.

JE M'AIME.

On prend soin de ceux que l'on aime : soyez la première personne à aimer sur votre liste ! Il faut s'aimer pour avoir la motivation de maigrir, pour maintenir son poids santé et pour se protéger contre les maladies causées par la mauvaise alimentation et les mauvaises habitudes de vie. Il faut s'aimer pour trouver la force de se lever et d'aller s'entraîner.

JE PRATIQUE UNE ACTIVITÉ PHYSIQUE QUE J'AIME.

Choisissez une activité que vous aimez et planifiez vos séances. Si vous manquez d'idées, naviguez dans Internet ou lisez le journal : il y a mille et une activités que vous pouvez exercer. Quand vous aurez fait votre choix, inscrivez les dates prévues à votre agenda. Donnez-leur la même importance qu'à un rendez-vous médical, car, après tout, c'est un rendez-vous avec votre santé.

JE PRÉPARE MES LUNCHS.

Soyez créatif ! Fouillez dans des livres de recettes ou encore dans Internet. En cuisinant vos repas du midi, vous saurez ce que vous mangez et vous serez moins tenté par les restaurants ou les services à l'auto.

JE CONSULTE LA LISTE DES INGRÉDIENTS DES ALIMENTS QUE JE CONSOMME.

Si vous ne connaissez pas le nom de tous les ingrédients mentionnés sur la liste, renseignez-vous. Chose certaine, plus cette liste est longue, plus vous devez être vigilant.

JE PROLONGE MES HEURES DE SOMMEIL.

Il y a plusieurs avantages à dormir suffisamment. D'abord, vous ne pouvez pas manger durant votre sommeil, et un corps bien reposé vous donnera l'énergie nécessaire pour bien fonctionner. À l'inverse, vous serez tenté de grignoter pour rester éveillé et actif.

JE ME DÉTENDS.

Plusieurs études universitaires prouvent que le stress favorise le stockage de graisse. En vous arrêtant 15 minutes par jour pour vous détendre ou faire du yoga, vous permettrez à votre corps de faire des réserves d'énergie.

JE CUISINE UNE NOUVELLE RECETTE.

Les recettes traditionnelles sont souvent plus riches en gras et en sucre et pauvres en fruits et en légumes. Se nourrir aujourd'hui, alors que nous sommes plus sédentaires, des mêmes recettes que nos arrière-grands-parents cultivateurs nous mène tout droit au surpoids. Attention aux portions !

J'UTILISE DES ÉPICES.

Utilisez la cannelle, la vanille, la cardamome, l'anis étoilé dans vos recettes. Ainsi, vous pourrez satisfaire votre dent sucrée habituée à ces aromates dans les desserts et éviterez d'ajouter trop de sucre ou d'édulcorants dans vos préparations.

JE PRATIQUE UNE ACTIVITÉ MANUELLE.

Tricotez, peignez, faites des casse-tête… Le but est de vous occuper les mains. Des mains occupées ne fouillent pas dans le sac de biscuits ou de chips.

J'ÉTABLIS UN HORAIRE POUR MES EXERCICES.

Une heure, à raison de trois fois par semaine, est un très bon début si vous voulez améliorer votre condition physique.

JE MONTE ET DESCENDS DES ESCALIERS.

Si vous devez prendre le métro pour aller travailler, préférez les escaliers aux escaliers roulants. Utilisez ceux de la maison, puis montez et descendez-les durant 20 minutes, le plus souvent possible. Vous n'avez qu'une ou deux marches ? Faites la même chose. Vous ferez du cardio et de la musculation en sollicitant les plus gros muscles du corps, soit les quadriceps.

JE BOIS DU THÉ OU DE LA TISANE.

Privilégiez les infusions aux boissons gazeuses ou aux jus de fruits sucrés. Faites-en une habitude ! Trouvez votre saveur préférée, il y a vraiment un vaste choix.

JE MESURE MON TOUR DE TAILLE.

Mesurer son tour de taille peut être une manière encourageante de maintenir son poids. En effet, le pèse-personne peut afficher une légère prise de poids qui s'explique par le gain de masse musculaire. Si votre tour de taille demeure stable, votre motivation ne sera pas affectée.

JE ME FIXE UN OBJECTIF POUR LA JOURNÉE.

Chaque jour suffit sa peine ! Même s'il est bien d'avoir des objectifs à long terme, il est essentiel de vivre une journée à la fois. Ce n'est pas parce que le souper d'hier a été généreux que tout est foutu. Ressaisissez-vous et continuez. Un petit écart de conduite de temps à autre permet de maintenir la motivation sans se priver ni se frustrer, à condition qu'il soit circonstanciel.

JE ME REGARDE DANS LE MIROIR.

Regardez-vous dans le miroir de face, de profil et de dos, si possible. En vieillissant, on a tendance à prendre du poids à l'abdomen, ce qui se voit mieux de profil. Quand on se met à éviter le miroir, c'est qu'on sait qu'on a engraissé. Apprivoisez votre image ! Découvrez votre nouveau corps au fur et à mesure que vous maigrissez.

JE ME VÊTS À MON AVANTAGE.

Portez des vêtements bien taillés qui avantagent votre silhouette. Ceinturez votre taille. Des vêtements trop amples ou des superpositions de vêtements pour camoufler vos bourrelets joueront en votre défaveur.

JE ME PRENDS EN PHOTO.

Rien de mieux qu'une photo pour dévoiler notre corps. Comparez vos photos pour constater votre progrès ou pour vous motiver. Regarder d'anciennes photos peut vous aider à poursuivre vos objectifs.

J'AFFICHE MON POIDS SANTÉ.

Calculez votre poids santé et affichez-le à divers endroits stratégiques comme sur le pèse-personne, le frigo, votre miroir. Ayez-le en vue comme un objectif à atteindre, un peu comme la photo d'un endroit que vous aimeriez visiter. Il n'est pas nécessaire de maigrir de façon démesurée pour être en santé.

JE MANGE LENTEMENT.

Quand on mange trop vite, on reçoit l'information de notre satiété trop tard. Manger lentement permet de ressentir le degré de satiété de l'estomac. Assoyez-vous pour déguster les aliments que vous mastiquerez lentement.

JE RÉDUIS MES PORTIONS.

Vous mangez très bien, mais vous n'arrivez pas à perdre vos kilos en trop ? Il est probable que vous surestimez vos besoins alimentaires. Deux fois la taille du pouce = une portion de fromage ; la paume de la main = une portion de viande ; le poing = une portion de légumes, de fruits ou de pâtes. Une assiette de pâtes du resto équivaut souvent à cinq portions !

JE ME RENSEIGNE SUR LA NUTRITION.

Le manque d'informations est souvent responsable de mythes et d'erreurs. Évitez les régimes qui vous recommandent trop souvent de ne pas manger tel ou tel fruit, ou encore qui vous obligent à manger un même type d'aliment. Privilégiez la variété.

JE M'INFORME AUPRÈS D'UN ENTRAÎNEUR.

Parlez avec un entraîneur de ce que vous aimez faire et ne pas faire. Demandez-lui de vous élaborer un programme d'entraînement réaliste et sécuritaire, qui est adapté à vos objectifs. Rencontrez-le régulièrement, si possible. La majorité des gyms offrent une rencontre gratuite avec un entraîneur dans le cadre d'un abonnement.

J'INVITE UN(E) AMI(E) À PARTAGER UNE ACTIVITÉ AVEC MOI.

Appelez un(e) ami(e) et pratiquez une activité ensemble régulièrement. Quand l'un manque de motivation, l'autre peut l'encourager. Seul, c'est bien, mais à deux, c'est mieux. Cela dit, si l'autre se désiste, ça ne veut pas dire d'annuler l'activité !

JE FAIS DU VÉLO.

Il fait beau, alors sortez faire du vélo. Il ne fait pas beau ? Faites du vélo stationnaire. Armez-vous de bonne musique et hop ! partez pour une randonnée de 30 minutes dans votre salon. Vous n'avez pas de vélo ? Étendez-vous dans votre lit ou sur un tapis de sol, levez les jambes dans les airs et pédalez. Vous en ressentirez rapidement les bienfaits.

JE RESPECTE MON CORPS.

Respectez vos limites. Soyez doux mais ferme. Le corps et l'esprit doivent travailler ensemble. Si vous avez une contrainte physique, prenez-la en considération, mais trouvez une solution de remplacement à l'activité écartée.

J'AUGMENTE L'INTENSITÉ DE L'EXERCICE.

Votre corps s'habituera rapidement aux efforts déployés : augmentez l'intensité ou la durée de l'exercice au fur et à mesure que l'entraînement progresse de sorte à toujours ressentir un léger inconfort. Plus l'effort est intense, plus vous brûlez de calories.

JE MANGE PLUS EN PÉRIODE D'ENTRAÎNEMENT.

Si vous vous entraînez, vous devez manger plus, mais cela ne signifie pas manger mal. Veillez aussi à vous accorder du temps de récupération, ce qui permettra à votre corps de renflouer sa réserve d'énergie. Si vous réduisez votre entraînement, n'oubliez pas d'ajuster à la baisse votre limite quotidienne de calories.

JE DÉPLOIE DES EFFORTS CALCULABLES.

Notez le degré d'intensité de vos séances d'entraînement et de vos exercices de façon à pouvoir noter une progression. De cette façon, vous pourrez observer vos progrès et garder votre motivation. N'oubliez pas, l'entraînement ne doit pas être facile.

JE PRENDS EN NOTE LES EXERCICES QUE J'AI FAITS.

Inscrivez le nom des exercices pratiqués ainsi que les muscles qui ont été sollicités : cela vous permettra de travailler votre corps d'une façon équilibrée. Les jambes, le dos, les épaules, les abdominaux, le cardio : il est très exigeant de travailler plusieurs groupes de muscles dans une séance. Cela demande une plus grande dépense énergétique.

JE PLANIFIE MA JOURNÉE.

Savoir ce que vous allez faire durant la journée est similaire à savoir ce que vous allez acheter à l'épicerie : ça vous permet d'éviter les ajouts inutiles. Si vous savez que vous irez escalader la montagne durant l'après-midi, planifiez un déjeuner en conséquence. En revanche, un après-midi au cinéma vous incitera à planifier un repas plus léger.

JE ME CRÉE DE NOUVELLES HABITUDES.

Si l'on veut se débarrasser de mauvaises habitudes, il faut modifier son horaire et parfois même un lieu physique. Par exemple, au lieu de boire deux bières pendant la préparation du souper sur l'îlot de la cuisine, assoyez-vous à la table de la salle à manger et servez-vous un verre d'eau gazéifiée. Les bonnes habitudes s'installent tout aussi lentement que les mauvaises, mais quand elles s'installent...

J'AI UNE ATTITUDE POSITIVE.

L'atteinte de nos objectifs est primordiale. Quelle est la motivation d'avancer si l'on se dit qu'on n'arrivera jamais au bout ? Percevez-vous plutôt comme une personne gagnante. Combien de personnes perdent du poids, mais croient toujours être grosses ? Il faut d'abord maigrir dans sa tête.

JE PRENDS LE TEMPS.

Je n'ai pas le temps ! La formulation exacte serait plutôt « Je ne prends pas le temps ! » Tout le monde dispose de 24 heures dans une journée, même ceux qui s'entraînent. Un jour à la fois et une semaine à la fois. Les régimes qui vous font maigrir trop rapidement déshydratent bien souvent le corps ou font perdre de la masse musculaire. Considérez le temps comme un allié.

JE MANGE UN FRUIT POUR DESSERT.

Vous aimez terminer vos repas par une note sucrée ? Eh bien, mangez un fruit ! Coupez-le différemment, ajoutez-le à un yogourt, c'est le dessert idéal !

JE PRATIQUE UNE ACTIVITÉ PHYSIQUE LE SOIR.

Éloignez-vous des tentations du garde-manger. Puisque vous pratiquez une activité après le souper, vous allez rentrer à la maison décontracté et prêt pour un sommeil réparateur. Non seulement vous n'aurez pas mangé de calories superflues, mais vous aurez fait une dépense énergétique supplémentaire !

J'UTILISE UNE PETITE ASSIETTE.

La vie est une question de perception ! Remplissez une petite assiette de ce que vous aimez ; ce sera plus satisfaisant que d'observer une petite quantité dans une grande assiette, surtout si vous avez décidé de réduire vos portions.

JE MESURE MES PORTIONS.

Rien n'est plus traître qu'un bol de crème glacée, ou même de yogourt, qu'on a rempli à la cuillère. Utilisez une tasse à mesurer ou un petit pot de yogourt vide pour mesurer la bonne quantité de dessert laitier que vous vous servez et sachez exactement le nombre de calories que vous ingérez.

JE JOUE DEHORS.

Allez vous amuser dehors. Redécouvrez le plaisir de frapper dans un ballon ou de construire un fort dans la neige. Si vous avez des enfants, faites des jeux en famille.

JE SAUTE À LA CORDE.

Vous le faisiez peut-être quand vous étiez jeune. C'est l'un des meilleurs exercices cardio que vous pouvez faire. Un petit 15 minutes de sauts à la corde et vous dépenserez autour de 400 calories. Alors, sautez !

JE CALCULE MON INDICE DE MASSE CORPORELLE (IMC).

L'IMC correspond à votre masse. En la calculant (votre poids en kilos divisé par votre taille en mètres carrés), vous aurez une meilleure connaissance de votre condition physique. Cet outil de calcul est intéressant, bien qu'il ne tienne pas compte de la masse osseuse ni de la masse musculaire.

JE FAIS UN MENU POUR LA SEMAINE.

En prévoyant ainsi tous vos repas, faire l'épicerie coûtera probablement moins cher et vous économiserez du temps. Cela vous évitera aussi de faire des choix malsains et impulsifs, comme dans des chaînes de restauration rapide.

J'ACCOMPLIS MES TÂCHES AVEC ÉNERGIE.

Accomplir des tâches domestiques aide à dépenser des calories. Alors, qu'attendez-vous ? Mettez de la bonne musique et commencez énergiquement l'époussetage !

JE M'INFORME SUR LA TENEUR EN CALORIES DES ALIMENTS.

Cela aide à faire de bons choix et permet de calculer votre apport énergétique quotidien. Par exemple, la confiture réduite en sucre = 20 calories pour chaque cuillère à soupe ; la confiture régulière = 40 calories ; la tartinade au chocolat = 100 calories. C'est cinq fois plus ! En faisant des choix plus sains, il vous sera facile de réduire quotidiennement les calories que vous consommez.

JE TROUVE UN ÉQUILIBRE.

L'une des définitions de l'équilibre est « une juste disposition entre des choses opposées ». Donc, de la même façon que vous planifiez vos entraînements, vous devez planifier vos temps de repos et de récupération. Même chose en ce qui a trait à la nourriture : si vous savez que vous irez au restaurant samedi, mangez plus légèrement les deux jours précédents.

JE M'INFORME SUR LA VALEUR NUTRITION-NELLE DES ALIMENTS.

On entend souvent des gens dire qu'il ne faut surtout pas manger de l'avocat, car ce fruit est beaucoup trop calorique. S'il est vrai que cet aliment renferme de nombreuses calories, il faut admettre que sa valeur nutritionnelle est excellente. Pourquoi se priver de ce qui est bon pour la santé ?

J'APPRENDS À ME CONNAÎTRE.

Apprendre à connaître votre corps et à lui faire confiance est un atout important. Votre corps et votre esprit travaillent en collaboration. L'un et l'autre doivent se soutenir. Votre esprit donne un cadre à votre corps.

JE MANGE PLUS DE FIBRES.

Manger des fibres provenant des fruits ou des céréales faites de grains entiers aide à éliminer les déchets. De plus, le corps consomme beaucoup d'énergie pour décomposer les fibres, ce qui représente une dépense énergétique supplémentaire. De bonnes raisons d'aimer les fibres !

J'IDENTIFIE MES ÉMOTIONS QUAND JE MANGE.

Lorsque vous mangez compulsivement, quelle émotion vous habite ? Avez-vous réellement faim ? Si possible, sortez et apportez un fruit. Marchez quelques instants, et si vous avez réellement faim, eh bien, mangez une collation. Certaines personnes mangent davantage quand elles vivent de grosses émotions.

JE M'INFORME SUR LES RISQUES ASSOCIÉS AU SURPLUS DE POIDS.

Connaître les risques qu'un surplus de poids peut engendrer peut vous motiver à vous prendre en main. Le diabète de type 2, par exemple, est souvent intimement lié à une prise de poids.

JE BRÛLE PLUS DE CALORIES QUE J'EN CONSOMME.

C'est le principe du compte bancaire : plus vous dépensez, moins vous en avez. Il faut gérer ce qui entre et ce qui sort, et pour obtenir un bilan négatif, il faut qu'il en sorte plus qu'il n'en rentre.

JE SURVEILLE MES PROGRÈS.

Et c'est valable tant sur le plan de l'entraînement que sur celui de la perte de poids. L'important est de vous donner la tape dans le dos qu'il vous faut. Réalisez que vous faites des progrès et trouvez une manière de vous féliciter.

JE M'ASSURE DE BIEN DÉJEUNER.

Le matin, votre corps a besoin de refaire le plein. Traitez votre corps comme un ami : invitez-le à prendre un bon repas. Après tout, il le mérite ! N'oubliez pas que la privation ou la sensation de faim trop aiguë peut vous amener à manger compulsivement.

JE PRATIQUE DES EXERCICES VARIÉS.

Variez vos exercices de manière à ne pas vous ennuyer et à faire travailler différents muscles.

JE SOULÈVE DES POIDS.

La meilleure façon de perdre du poids et de maintenir ce résultat est d'avoir une bonne masse musculaire. Si vous êtes une femme, ne vous inquiétez pas, vous n'aurez pas l'air de monsieur Muscle si vous soulevez des haltères. Vous aurez l'air plus ferme et vous pourrez vous permettre plus de latitude alimentaire.

JE PROFITE DE L'ENDROIT OÙ JE SUIS.

Que vous soyez au bureau ou en vacances sur le bord de la mer, vous pouvez toujours trouver le moyen d'être actif. Utilisez les murs pour faire la chaise, des pompes, des fentes. Servez-vous des chaises comme appui pour travailler vos triceps. Inventez ! Innovez ! L'important, c'est de bouger !

JE FAIS DE MON MIEUX.

Encouragez-vous et dites-vous que, aujourd'hui, vous faites ce que vous pouvez. Demain, vous ferez mieux. Rien ne sert d'en faire trop au début et de vous décourager par la suite. Petit à petit, vous vous améliorerez. Plus vous en ferez souvent, meilleur vous serez.

J'ÉTABLIS MES PRIORITÉS.

Vous êtes la priorité ! Vous êtes la personne la plus importante que vous connaissez et vous devez vous considérer ainsi. Traitez-vous comme un prince ou une princesse. Accordez-vous un traitement royal dès aujourd'hui !

JE ME FIXE DES DÉLAIS À RESPECTER.

Déterminez un nombre de jours ou une date raisonnable pour réussir à courir un parcours de 5 km ou à faire un exercice précis. Vouloir réussir un marathon une semaine après avoir commencé l'entraînement est peut-être exagéré !

J'ÉCRIS CE QUE JE VEUX FAIRE.

Notez vos rêves, vos voyages, vos sorties et ce que vous voulez visiter. Cela vous aidera à garder la motivation pour vous entraîner et pour bien manger. Parcourir la muraille de Chine, eh bien, pourquoi pas ?

JE RÉPARTIS BIEN MES PAUSES.

Quand on s'entraîne, il est important, surtout en vieillissant, d'être attentif au besoin de repos de notre corps. Alternez vos journées d'effort et de repos.

JE FAIS D'UNE PIERRE DEUX COUPS.

Si vous devez faire des commissions, pourquoi ne pas choisir le moyen de transport le plus payant en matière de dépenses caloriques ? Enfourchez votre vélo ou enfilez vos patins à roues alignées, et rapportez vos achats dans un sac à dos.

JE COMMENCE DÈS LE RÉVEIL.

Plusieurs personnes ne s'entraînent pas parce qu'elles se disent qu'elles le feront en fin de journée. La journée passée, elles sont trop fatiguées pour s'y adonner. C'est pourquoi le meilleur moyen de ne pas procrastiner est de s'entraîner au réveil. Ainsi, la journée passe et votre entraînement est déjà chose du passé.

J'OUBLIE LES EXCUSES.

Il faut toujours négocier avec notre petite voix intérieure. Quand on court, par exemple, c'est elle qui nous dit: « J'arrêterais ! » Mais si vous savez que vous êtes capable, parce que vous suivez un programme et que vous êtes rendu là, eh bien, répondez-lui: « On va s'arrêter, mais après avoir terminé ce que l'on a commencé ! »

JE DIS OUI.

Vous avez une occasion de faire une activité ? Eh bien, foncez ! Dites oui à une activité de cardiopoussette avec d'autres mères. Dites oui à une collègue qui cherche une amie pour l'accompagner à un cours de Zumba. Dites oui !

JE PROFITE DU TEMPS PERDU.

On perd un temps incalculable à attendre, que ce soit pendant les publicités télévisées ou entre deux cours à l'université... Bref, ayez en poche un papier sur lequel des exercices faciles à faire sont notés. Il y a même des applications mobiles pour ça ! En utilisant ces périodes pour faire des exercices, vous pouvez raccourcir votre séance d'entraînement.

J'APPRENDS DE MES ERREURS.

Plutôt que de se taper sur la tête, on prend l'erreur en note et on tente de déterminer comment éviter qu'elle se reproduise. Par exemple, vous avez mangé les trois sacs de croustilles qui étaient dans le garde-manger. Où se trouve l'erreur ? Peut-être est-ce l'achat des trois sacs de croustilles qui pose problème ! La prochaine fois, évitez cette section quand vous faites l'épicerie.

JE M'ENTOURE DE GENS QUI M'INSPIRENT.

Comme dans toutes choses, quand on décide de prendre un virage, on perd parfois quelques joueurs. Certaines personnes peuvent vous reprocher d'avoir changé. Pour assurer votre réussite, il est important de vous entourer de gens qui vous comprennent et qui vont dans la même direction que vous.

J'OSE FONCER.

Le changement peut faire peur, mais par la suite, vous serez ravi du chemin parcouru. C'est le mouvement qui crée le changement !

J'EXPLORE DE NOUVELLES AVENUES.

Un cours d'essai de Zumba, de yoga, de Pilates, de kick-boxing, de karaté… Allez-y ! Joignez-vous à un groupe de marche ou de course à pied dans votre quartier.

J'ORGANISE MES SOIRÉES.

Si la soirée est votre bête noire parce qu'elle vous pousse à grignoter, organisez-la ! Ne la laissez pas vous mener ! Soupez puis allez marcher. Prenez un bain et allez lire dans votre lit. L'important, c'est d'être conscient des pièges qui vous attendent.

JE MANGE QUAND JE RESSENS LA FAIM.

Notre corps déclenche un signal pour nous dire qu'il a besoin d'énergie. Pour l'entendre, il faut y prêter attention et, ensuite, il faut lui répondre. Mangez quand vous avez faim, c'est très important !

JE ME CENTRE SUR MES BESOINS.

Soyez attentif à vos besoins ! Vos besoins ne sont pas ceux du voisin. Vous voulez perdre du poids pour vous et non pour les autres. Même chose quand vous sentez que vous avez atteint le poids désiré, car la santé, ce n'est pas un concours de minceur.

JE FAIS CONFIANCE À MON CORPS.

Si vous le traitez bien, vous pouvez faire confiance à votre corps. Cela signifie que vous le nourrissez bien, que vous lui donnez suffisamment de repos et que vous l'entraînez. Vous pouvez être assuré qu'il vous le rendra au centuple.

J'ALLÈGE MON QUOTIDIEN.

Le stress est reconnu comme un facteur potentiel ayant une influence sur l'obésité. Faites un ménage dans votre liste de tâches à faire. Qu'est-ce qui est essentiel ? Qu'est-ce qui ne l'est pas ? Qu'est-ce qui est prioritaire ? Qu'est-ce qui peut attendre ? Accordez-vous plus de temps pour vous et chassez le stress de votre vie.

JE MASSE MON CORPS.

Bien sûr, si vous pouvez vous permettre un massage professionnel, c'est génial ! Sinon, il est facile de se masser soi-même à l'aide d'une balle ou d'un petit rouleau que l'on glisse sous notre corps. L'exercice est parfois douloureux, mais le résultat en vaut la peine. Un corps détendu répondra beaucoup mieux aux demandes que vous lui ferez.

JE JOUE AVEC DES RAQUETTES.

Ping-pong, badminton, tennis, squash… Ce ne sont pas les jeux de raquettes qui manquent ! En plus d'avoir du plaisir, vous dépenserez beaucoup de calories. Des écoles et des municipalités permettent que l'on utilise leurs terrains gratuitement. Sinon, un mur peut faire l'affaire !

JE SUIS EFFICACE.

L'avantage d'être efficace, c'est de gagner du temps pour faire ce que vous aimez faire. Il peut s'agir de préparer vos repas de la semaine le dimanche, de faire affaire avec un traiteur, ou de participer à des cuisines collectives.

J'ÉVITE LES RÉGIMES.

Ne vous privez pas ! Les régimes ont un effet de rebond indésirable. Le corps n'apprécie pas du tout la privation. Mangez sainement ! Vous perdrez du poids beaucoup plus lentement, mais vous aurez beaucoup plus de chances de le maintenir.

J'UTILISE LE TRANSPORT EN COMMUN.

Prendre l'autobus ou le métro peut vous permettre de bouger davantage. Marchez jusqu'à l'arrêt d'autobus ou jusqu'à la station de métro et n'oubliez pas d'utiliser les escaliers aussi souvent que possible.

JE PARTAGE MON EXPÉRIENCE.

Un autre bon moyen de maintenir son poids, c'est de partager ce que l'on vit avec les autres. Aujourd'hui, à l'ère des réseaux sociaux, il est facile de créer des groupes de discussion et de s'encourager mutuellement. Partager, c'est aussi aller chercher des alliés et se motiver réciproquement à continuer.

JE TRAITE MON CORPS AVEC RESPECT.

Dorlotez-vous. Soignez votre peau en l'exfoliant et en appliquant de la crème hydratante. Prenez le temps de vous offrir les bons produits en fonction de votre type de peau.

JE SOURIS AUX AUTRES.

Prenez confiance en vous ! Souriez aux autres quand vous marchez ou courez ! Vous verrez, vous récolterez des encouragements et l'effort vous paraîtra moins lourd.

JE FAIS UN BILAN DE SANTÉ ANNUEL.

Avant d'entreprendre de faire de l'exercice, assurez-vous que vous avez l'avis et l'accord d'un professionnel de la santé, et ce, surtout si vous doutez de votre condition physique.

JE M'HYDRATE CORRECTEMENT.

Si vous vous entraînez avec une intensité forte et soutenue pendant plus d'une heure, il vaut mieux opter pour une boisson désaltérante. De même, si vous vous entraînez à une température élevée et que vous suez beaucoup, assurez-vous de vous hydrater avec une boisson qui contient les minéraux qu'il vous faut.

JE LANCE UN DÉFI DE GROUPE.

Proposez un défi à vos collègues de travail, à votre famille ou à vos contacts sur les réseaux sociaux, et observez comment les gens réagissent. Augmentez leur motivation en le faisant pour une cause qui vous tient à cœur !

JE PARTICIPE À DES ÉVÈNEMENTS SPORTIFS.

Inscrivez-vous à une marche ou à une course qui vous permettra de garder votre motivation. Sélectionnez celle qui se déroule près de chez vous ou profitez-en pour visiter d'autres endroits en participant à un évènement en région.

JE FAIS LE POINT.

Une fois ou deux par mois, regardez tout le chemin que vous avez parcouru : cela vous aidera à maintenir le cap et à traverser les petits moments qui peuvent être parfois plus difficiles.

JE FAIS DU BÉNÉVOLAT.

Vous avez envie de voir comment se déroule une course ? Pourquoi ne pas offrir votre aide à une organisation sportive ? Vous serez toujours le bienvenu ! Cela vous permettra de démystifier les courses et de voir des gens comme vous qui arrivent à relever des défis.

JE VISE L'ARC-EN-CIEL DANS MON ASSIETTE.

Plus vous mettez de la couleur dans votre assiette, plus vous nourrissez votre corps de nutriments variés.

JE DANSE.

Danser dans votre salon, une télécommande dans la main, devant l'écran de télévision ? Et pourquoi pas ? Plusieurs personnes de toutes les générations ont amélioré leur cardio en dansant sur un jeu de rythme pour console de jeux vidéo. Une activité aussi ludique qu'efficace à faire en solo ou en groupe.

JE M'EXPRIME.

Dites ce que vous pensez, écrivez-le ou dessinez-le de manière à ne pas accumuler une frustration intérieure qui vous fera manger davantage pour de mauvaises raisons.

JE MÂCHE DE LA GOMME.

Si vous devez rester assis longtemps à ne rien faire physiquement, occupez votre bouche. Cela peut vous aider à ne pas grignoter. Après un repas, cela peut vous enlever l'envie de consommer des desserts trop sucrés.

JE M'OFFRE LES SERVICES D'UN ENTRAÎNEUR PRIVÉ.

Gênantes, les séances d'exercices en groupe ? Intimidantes, les heures d'entraînement entre monsieur Muscle et madame Corps-de-Rêve ? Retenir les services d'un entraîneur privé qui se déplace à domicile ou qui possède son propre espace tout équipé peut être une option pour apprivoiser le conditionnement physique.

Remerciements

Je tiens en tout premier lieu à remercier Sophie Aumais, mon éditrice, qui a su, par sa grande sensibilité et son grand respect, donner à mon texte toutes ses nuances, et sans qui le livre n'aurait jamais vu le jour.

J'adresse tout mon amour et ma reconnaissance à mon mari, que je chéris depuis plus de vingt-cinq ans. Je nous souhaite encore de nombreuses années de bonheur ensemble dans ce périple qu'est la vie.

À mes quatre enfants, Gabrielle, Étienne, Marie et Laurent, et à mon adorable petite-fille, Layla : merci pour ce que vous êtes, mes amours ! Je vous aime tellement.

Je veux également remercier ma maman, Pierrette, et ma sœur, Mélody. Même si la vie nous a par moments séparées et même si nous ne nous voyons pas tous les mois, ma vie sans vous ne serait pas la même. Vous comptez beaucoup à mes yeux. Je vous aime, je ne vous le dis pas assez souvent.

Je remercie particulièrement mes deux entraîneuses, Marjo et Tracy, qui ont su m'encadrer et me guider vers la perte de poids. Tracy, merci de continuer à me faire travailler fort et de me planifier des programmes d'entraînement de qualité adaptés à mes défis.

À mon papa, parti beaucoup trop vite… merci de m'avoir quand même donné de doux souvenirs.

À tous ceux et celles qui m'ont accompagnée (ou endurée!), et à tous ceux et celles qui continuent de graviter autour de moi, sachez que je suis reconnaissante de votre présence dans ma vie.

Et mon dernier remerciement, je vous le dédie, chers lecteurs et lectrices. Que mon histoire vous donne le coup d'envoi pour vous propulser vers vos rêves et vos défis. **Osez ! Foncez ! Vous le méritez ! Croyez-y !**

REMERCIEMENTS

Livres utilisés

CLOUTIER, Jean-Yves, et Michel GAUTHIER. *Courir au bon rythme*, s.l., Les éditions La Presse, 2012 et 2013, tome 1 et 2, 176 p.

HUOT, Isabelle, Josée LAVIGUEUR et Guy BOURGEOIS. *Kilo Cardio*, s.l., Les Éditions de L'Homme, 2008, 2010 et 2014, tome 1, 2 et 3, 232 p.

CHOUINARD, Richard, et Nathalie Lacombe. *Course à pied : le guide d'entraînement et de nutrition*, s.l., éditions KMag, 2013.

THIBAULT, Guy. *Entraînement cardio : sports d'endurance et performance*, s.l., éditions Vélo Québec, 2009, 260 p. (Collection Géo Plein air)

HARVEY, Jean-François. *Courir mieux : technique de course, 90 exercices adaptés, programmes d'entraînement et guide des blessures*, s.l., Les Éditions de L'Homme, 2013, 311 p.

VIGARELLO, Georges. Les métamorphoses du gras : *Histoire de l'obésité du Moyen Âge au XXᵉ siècle*, s.l., les Éditions du Seuil, 2010, 362 p. (Collection l'Univers historique)

RÉFÉRENCES

AVANT

APRÈS

MOI, BRIGITTE, AVANT-APRÈS